Mathemateg

Cyfnod Allweddol Tri

Y Llyfr Adolygu (Lefelau 5-8)

CANOLFAN ASTUDIAETHAU ADDYSG ABERYSTWYTH

Addasiad Cymraeg gan Colin Isaac
Golygwyd gan Richard Parsons

Y fersiwn Saesneg:
Cyhoeddwyd gan Coordination Group Publications Ltd.
Cysodi a gosodiad gan Coordination Group Publications.
Ymgynghorwyr Cyfnod Allweddol Tri: Robert Gibson BA MSc PGCE a Mary Gibson BSc.
Golygydd Dylunio: Ruso Bradley MSc PhD

Cyhoeddwyd gan y Ganolfan Astudiaethau Addysg, Prifysgol Cymru Aberystwyth.

Cyhoeddwyd gyda chymorth ariannol Awdurdod Cymwysterau, Cwricwlwm ac Asesu Cymru (ACCAC).

Argraffiad cyntaf: Mawrth 2002

ISBN 1 85644 664 6

Addasiad Cymraeg gan Colin Isaac
Golygwyd a pharatowyd ar gyfer y wasg gan Janice Williams, Eirian Jones a Glyn Saunders Jones

Dyluniwyd gan Enfys Beynon Jenkins ac Andrew Gaunt

Aelodau'r Pwyllgor Monitro: E. Dianne Evans ac Elfed Williams

Argraffwyr: Gwasg Gomer

Cynnwys

Lluosrifau, Ffactorau a Ffactorau Cysefin

Lluosrifau

LLUOSRIFAU rhif yw ei DABL LLUOSI:

E.e. lluosrifau 15 yw 15 30 45 60 75 90 105 120 ...

Ffactorau

FFACTORAU rhif yw'r holl rifau sy'n RHANNU I MEWN IDDO. Mae ffordd arbennig o'u darganfod:

Enghraifft 1: *"Darganfyddwch HOLL ffactorau 20."*

Dechreuwch gydag 1 x y rhif ei hun, yna rhowch gynnig ar 2 x, yna 3 x ac yn y blaen, gan restru'r parau mewn rhesi fel hyn. Rhowch gynnig ar bob un yn ei dro a rhowch linell os nad yw'n rhannu'n union. Yna pan fydd rhif yn cael ei *ailadrodd*, *stopiwch*.

Cynyddu 1 bob tro

1 x 20
2 x 10
3 x -
4 x 5
5 x 4

Felly, FFACTORAU 20 yw 1,2,4,5,10,20

Trwy'r dull hwn byddwch yn siŵr o ddarganfod POB UN - ond *peidiwch ag anghofio 1 a 20!*

Ffactorau

Enghraifft 2 *"Darganfyddwch ffactorau 36."*

Gwiriwch bob un yn ei dro, i weld a yw'n rhannu neu beidio. Defnyddiwch gyfrifiannell os nad ydych yn gwbl hyderus.

1 x 36
2 x 18
3 x 12
4 x 9
5 x -
6 x 6

Mae'r 6 yn *ailadrodd*, felly *stopiwch yma*.

Felly, FFACTORAU 36 yw 1,2,3,4,6,9,12,18,36

Darganfod Ffactorau Cysefin - y Goeden Ffactorau

Gall unrhyw rif gael ei dorri i lawr yn gadwyn o RIFAU CYSEFIN (gweler tud. 2) wedi'u lluosi â'i gilydd - dywedir ei fod yn cael "ei fynegi fel lluoswm ffactorau cysefin". Mewn gwirionedd mae'n go ddiflas - ond mae yn yr arholiad a dydy e ddim yn anodd.

Dull y "Goeden Ffactorau" yw'r dull gorau, lle rydych yn dechrau ar y top ac yn rhannu eich rhif yn ffactorau fel y dangosir. Bob tro y cewch rif cysefin, *rhowch gylch amdano* ac yn y diwedd mae gennych yr holl ffactorau cysefin. Yna gallwch eu rhoi mewn trefn.

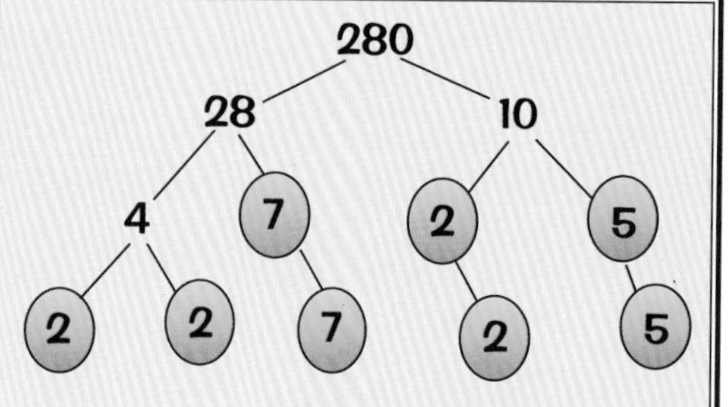

Felly, "Fel *lluoswm ffactorau cysefin*", 280 = 2x2x2x5x7

Y Prawf Hollbwysig:

DYSGWCH beth yw Lluosrifau, Ffactorau a Ffactorau Cysefin A SUT I'W DARGANFOD. Cuddiwch y dudalen ac ysgrifennwch y cyfan.

Yna rhowch gynnig ar y rhain heb edrych ar eich nodiadau:

1) Rhestrwch 10 lluosrif cyntaf 8, a 10 lluosrif cyntaf 11.
2) Rhestrwch holl ffactorau 24 a holl ffactorau 60.
3) Mynegwch fel lluoswm ffactorau cysefin: a) 350 b) 480

Rhifau Cysefin

1) Yn syml, ni ellir rhannu Rhifau CYSEFIN ag unrhyw rif

A dyna'r ffordd orau o feddwl amdanynt.
Rhifau Cysefin, felly, yw'r holl rifau NAD YDYNT i'w gweld mewn Tablau Lluosi:

2 3 5 7 11 13 17 19 23 29 31 37 ...

Fel y gwelwch, maen nhw'n gasgliad rhyfedd yr olwg (am na ellir eu rhannu ag unrhyw rif). Er enghraifft:

Yr unig rifau sy'n lluosi i roi 5 yw	1×5
Yr unig rifau sy'n lluosi i roi 23 yw	1×23

Yr unig ffordd i gael UNRHYW RIF CYSEFIN yw $1 \times$ Y RHIF EI HUN

2) Maen Nhw i Gyd yn Diweddu ag 1, 3, 7 neu 9

1) Dydy 1 DDIM yn rhif cysefin
2) Y pedwar rhif cysefin cyntaf yw 2, 3, 5 a 7
3) 2 a 5 yw'r EITHRIADAU am fod y gweddill i gyd yn diweddu ag 1, 3, 7 neu 9
4) Ond DYDY POB rhif sy'n diweddu ag 1, 3, 7 neu 9 DDIM yn rhif cysefin, fel y gwelir yma:

Dim ond y rhifau â chylch amdanynt sy'n rhifau cysefin

2	3	5	7
11	13	17	19
21	23	27	29
31	33	37	39
41	43	47	49

3) SUT I DDARGANFOD RHIFAU CYSEFIN — *dull syml iawn*

1) *Gan fod pob rhif cysefin* (sy'n uwch na 5) yn diweddu ag 1, 3, 7 neu 9, yna i ddarganfod rhif cysefin rhwng 50 a 60, yr unig bosibiliadau yw: 51, 53, 57 a 59
2) I ddarganfod pa rai SYDD YN rhifau cysefin mae angen rhannu pob un â 3 ac â 7. Os na fydd yn rhannu'n union â 3 nac â 7 yna mae'n rhif cysefin.
(Mae'r rheol syml hon sy'n defnyddio 3 a 7 yn unig yn iawn ar gyfer darganfod rhifau cysefin *hyd at 120*)

Felly, i ddarganfod y rhifau cysefin rhwng 50 a 60, rhannwch 51, 53, 57 a 59 â 3 ac â 7:

$51 \div 3 = 17$, — Mae 17 yn rhif *cyfan*, felly dydy 51 DDIM yn rhif cysefin gan ei fod yn rhannu'n union â 3 (3 x 17 = 51).

$53 \div 3 = 17.666$, $53 \div 7 = 7.571$ felly MAE 53 yn rhif cysefin gan nad yw'n rhannu â 3 nac â 7.

$57 \div 3 = 19$, — Mae 19 yn rhif *cyfan*, felly dydy 57 *DDIM* yn rhif cysefin gan ei fod yn rhannu â 3 (3 x 19 = 57).

$53 \div 3 = 19.666$, $53 \div 7 = 8.429$ felly MAE 59 yn rhif cysefin.

Y Prawf Hollbwysig:

DYSGWCH y prif bwyntiau yn y 3 ADRAN uchod.

Yna cuddiwch y dudalen ac ysgrifennwch bopeth rydych newydd ei ddysgu.
1) Darganfyddwch yr holl rifau cysefin rhwng 60 a 90 gan ddefnyddio'r dull uchod.
2) Gwnewch linell rif o 1 i 50 a lliwiwch yr holl rifau cysefin (*heb* edrych mewn llyfr).

Dilyniannau Arbennig o Rifau

Mae *PUM dilyniant arbennig* o rifau y dylech eu *GWYBOD*:

1) EILRIFAU

...mae pob un yn rhannu â 2

2 4 6 8 10 12 14 16 18 20 ...

Mae pob *EILRIF* yn DIWEDDU â 0, 2, 4, 6 neu 8 e.e. 64, 192, 1000, 518

2) ODRIFAU

... DYDYN NHW DDIM yn rhannu â 2

1 3 5 7 9 11 13 15 17 19 21 ...

Mae pob *ODRIF* yn DIWEDDU ag 1, 3, 5, 7 neu 9 e.e. 121, 89, 403, 627

3) RHIFAU SGWÂR:

(1x1)	(2x2)	(3x3)	(4x4)	(5x5)	(6x6)	(7x7)	(8x8)	(9x9)	(10x10)	(11x11)	(12x12)
1	4	9	16	25	36	49	64	81	100	121	144...

Gwahaniaethau: 3 5 7 9 11 13 15 17 19 21 23

Sylwch: y GWAHANIAETHAU rhwng y rhifau sgwâr yw'r holl ODRIFAU.

Cânt eu galw'n RHIFAU SGWÂR am eu bod yn debyg i arwynebedd y patrwm hwn o sgwariau:

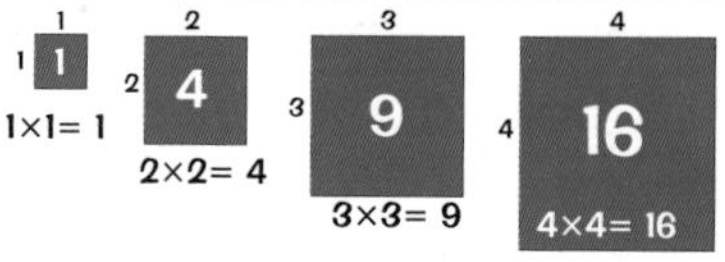

4) RHIFAU CIWB:

(1x1x1)	(2x2x2)	(3x3x3)	(4x4x4)	(5x5x5)	(6x6x6)	(7x7x7)	(8x8x8)	(9x9x9)	(10x10x10)...
1	8	27	64	125	216	343	512	729	1000...

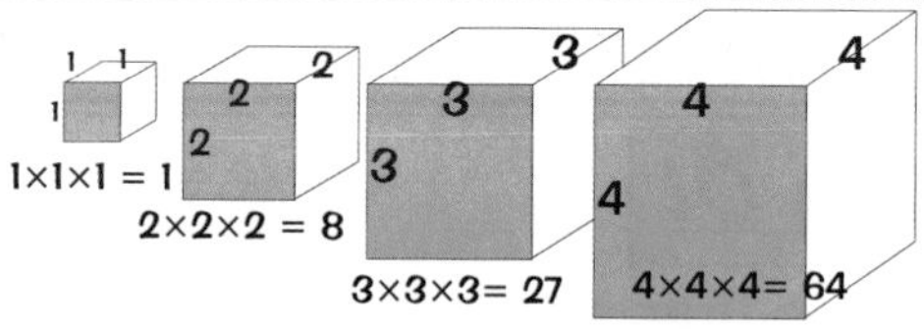

Cânt eu galw'n RHIFAU CIWB am eu bod yn debyg i gyfeintiau y patrwm hwn o giwbiau.

5) RHIFAU TRIONGL:

I gofio'r rhifau triongl mae'n rhaid i chi weld yn eich meddwl y *patrwm cynyddol hwn o drionglau*, lle mae gan bob rhes newydd *un smotyn yn fwy* na'r rhes flaenorol.

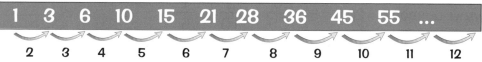

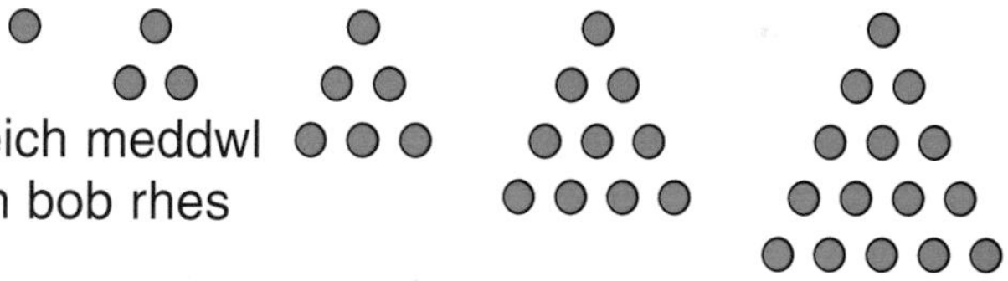

1 3 6 10 15 21 28 36 45 55 ...

Gwahaniaethau: 2 3 4 5 6 7 8 9 10 11 12

Yn sicr mae'n werth dysgu'r patrwm syml hwn o wahaniaethau, yn ogystal â'r fformiwla ar gyfer yr *n*fed term (gweler tud. 31) sef:

*n*fed term = $\frac{1}{2}n(n + 1)$

Y Prawf Hollbwysig:

DYSGWCH y 10 RHIF cyntaf yn y pum dilyniant: EILRIFAU, ODRIFAU, RHIFAU SGWÂR, RHIFAU CIWB A RHIFAU TRIONGL.

1) Cuddiwch y dudalen ac ysgrifennwch y 15 rhif cyntaf yn y pum dilyniant.
2) Pa rif sy'n eilrif, yn rhif sgwâr ac yn rhif triongl?
3) O'r rhestr hon o rifau: 27, 100, 1, 64, 49, 125, 16, 144, 25 ysgrifennwch:
   a) yr holl odrifau; b) yr holl rifau sgwâr; c) yr holl rifau ciwb.

Ffracsiynau Cywerth

Ffracsiynau cywerth yw ffracsiynau sydd *â'r un gwerth*, er eu bod yn edrych yn wahanol.

Rhaid Iddynt Gael yr Un Lluosydd ar y Top a'r Gwaelod

Gan ddechrau gydag unrhyw ffracsiwn, gallwch wneud rhestr o ffracsiynau cywerth drwy *LUOSI y top a'r gwaelod* â'r *UN RHIF* bob tro:

$$\frac{1}{2} = \frac{2}{4} = \frac{3}{6} = \frac{4}{8} = \frac{5}{10} \text{........} = \frac{\text{unrhyw rif}}{\text{DWYWAITH y rhif hwnnw}}$$

$$\frac{1}{5} = \frac{2}{10} = \frac{3}{15} = \frac{4}{10} = \frac{2}{25} \text{........} = \frac{\text{unrhyw rif}}{\text{PUM GWAITH y rhif hwnnw}}$$

Canslo i Lawr

I'r cyfeiriad arall, bydd angen i chi weithiau *symleiddio* ffracsiwn drwy "*ganslo i lawr*" - hynny yw, *RHANNU y top a'r gwaelod* â'r *UN RHIF*:

$$\frac{3}{15} \xrightarrow{\div 3} \frac{1}{5} \qquad \frac{3}{15} = \frac{1}{5}$$

$$\frac{22}{33} \xrightarrow{\div 11} \frac{2}{3} \qquad \frac{22}{33} = \frac{2}{3}$$

Newid Ffracisynau yn Ganrannau ac Yn Ôl

Os gallwch sylwi ar ffracsiynau cywerth yna gallwch neidio o ffracisynau i ganrannau ac yn ôl yn hawdd fel hyn:

Er enghraifft $\frac{1}{2} = \frac{5}{10} = \frac{50}{100} = 50\%$

ac yn yr un modd $20\% = \frac{20}{100} = \frac{2}{10} = \frac{1}{5}$

Mae ffracisynau cywerth yn ddefnyddiol iawn. Os cymerwch ychydig o amser i'w deall, yna fe gewch lawer o fanteision o ran deall canrannau, datrys hafaliadau, tebygolrwydd a llawer o bethau eraill.

Y Prawf Hollbwysig:

DYSGWCH y tair adran ar y dudalen hon. Gwnewch yn siŵr eich bod yn gwybod sut i lunio dilyniant o ffracsiynau cywerth.

Trwy ganslo i lawr, symleiddiwch y canlynol gymaint ag sy'n bosibl:

a) $\frac{12}{24}$; b) $\frac{8}{24}$; c) $\frac{6}{30}$; d) $\frac{6}{48}$; e) $\frac{5}{35}$; f) $\frac{7}{35}$; g) $\frac{25}{100}$; h) $\frac{39}{52}$.

Ffracsiynau, Degolion a Chanrannau

Yr un gair a allai ddisgrifio'r tri hyn yw CYFRAN. Mae ffracsiynau, degolion a chanrannau yn dair ffordd wahanol o fynegi cyfran o rywbeth - ac mae'n bwysig eich bod yn gweld bod cysylltiad agos rhyngddynt a'u bod yn gwbl gydgyfnewidiol â'i gilydd. Mae'r tabl hwn yn dangos y trawsnewidiadau cyffredin iawn y dylech eu gwybod ar unwaith heb orfod eu cyfrifo:

Ffracsiwn	Degolyn	Canran
1/2	0.5	50%
1/4	0.25	25%
3/4	0.75	75%
1/3	0.333333	33%
2/3	0.666667	67%
1/10	0.1	10%
2/10	0.2	20%
X/10	0.X	X0%
1/5	0.2	20%
2/5	0.4	40%

Gorau oll po fwyaf o'r trawsnewidiadau hynny a ddysgwch - ond ar gyfer y rhai nad ydych yn eu gwybod, rhaid i chi ddysgu sut i drawsnewid rhwng y tri math.

Ffracsiwn → Rhannu gan ddefnyddio cyfrifiannell → Degolyn → $\times$ â 100 → Canran

e.e. $^1/_2$ yw $1 \div 2$ = 0.5 e.e. 0.5×100 = 50%

Ffracsiwn ← Yr un anodd ← Degolyn ← $\div$ â 100 ← Canran

Dim ond ar gyfer degolion union nad ydynt wedi'u talgrynnu y mae'n bosibl trawsnewid degolion yn ffracsiynau.

Mae'n ddigon syml, ond y ffordd orau o'i egluro yw trwy enghreifftiau. Edrychwch, felly, ar dud. 12 a gweithiwch allan beth yw'r rheol syml. Yna dylech allu llenwi gweddill y tabl hwn.

Ffracsiwn	Degolyn	Canran
3/4	0.75	75%
2/10	0.2	20%
7/10	0.7	70%
55/100	0.55	55%
13/20	0.65	65%
28/100	0.28	28%

Y Prawf Hollbwysig:

DYSGWCH y cyfan o'r tabl uchaf a'r 4 proses drawsnewid ar gyfer Ff.D.C.

Yna cuddiwch y dudalen ac ysgrifennwch y tabl Ff.D.C. uchaf oddi ar eich cof, ac yna'r pedair rheol trawsnewid. Wedyn llenwch yr holl fylchau yn yr ail dabl uchod.

Talgrynnu Rounding off

Mae *dwy ffordd wahanol* o bennu *lle* y dylai rhif gael ei *dalgrynnu*, sef: “Lleoedd Degol” a “Ffigurau Ystyrlon”. Defnyddio “Lleoedd Degol” sydd hawsaf.

Gallai'r cwestiwn ddweud “... i 4 LLE DEGOL”, neu “... i 3 FFIGUR YSTYRLON”. Peidiwch â phoeni, dim ond ffyrdd gwahanol o *bennu safle'r DIGID OLAF* yw'r rhain. Pa un bynnag a ddefnyddir, mae'r *dull sylfaenol yr un fath* bob tro. Fe'i *gwelir isod*:

Mae Tri Cham i'r Dull Sylfaenol

1) Nodwch safle'r DIGID OLAF.

2) Yna edrychwch ar y digid nesaf i'r DDE - hwn yw'r PENDERFYNWR.

3) Os yw'r PENDERFYNWR yn 5 neu fwy, talgrynnwch y DIGID OLAF I FYNY.
Os yw'r PENDERFYNWR yn 4 neu lai, gadewch y DIGID OLAF fel y mae.

ENGHRAIFFT: *“Beth yw 8.35692 i 3 Lle Degol?”*

8.35692 = 8.357

Y DIGID OLAF i gael ei ysgrifennu (y 3ydd lle degol am ein bod yn talgrynnu i 3 lle degol).

PENDERFYNWR

Mae'r *DIGID OLAF* yn talgrynnu *I FYNY* am fod y *PENDERFYNWR* yn *5 neu fwy*.

Lleoedd Degol

Mae hyn yn go hawdd:

1) I dalgrynnu i 4 lle degol, er enghraifft, y DIGID OLAF fydd y 4ydd digid ar ôl y pwynt degol.

2) Rhaid peidio â chael *rhagor o ddigidau* ar ôl y DIGID OLAF (dim hyd yn oed sero).

LLEOEDD DEGOL - ENGHREIFFTIAU Rhif gwreiddiol: 65.228371

Wedi'i dalgrynnu i 5 lle degol 65.22837 (y Penderfynwr yw 1, peidiwch â thalgrynnu i fyny)

Wedi'i dalgrynnu i 4 lle degol 65.2284 (y Penderfynwr yw 7, felly talgrynnwch i fyny)

Wedi'i dalgrynnu i 3 lle degol 65.228 (y Penderfynwr yw 3, peidiwch â thalgrynnu i fyny)

Wedi'i dalgrynnu i 2 le degol 65.23 (y Penderfynwr yw 8, felly talgrynnwch i fyny)

Y Prawf Hollbwysig:

DYSGWCH 3 Cham y Dull Sylfaenol a'r 2 Bwynt Ychwanegol ar gyfer Lleoedd Degol.

Cuddiwch y dudalen ac ysgrifennwch y cyfan. Yna triwch eto nes i chi ei wybod.

1) Talgrynnwch 1.0672 i 2 le degol.
2) Rhowch 12.1566 i 2 le degol.
3) Mynegwch 90.2532 i 3 lle degol.
4) Mynegwch 256.045 i 1 lle degol.

Talgrynnu

Ffigurau Ystyrlon (Ffig. Yst.)

Mae'r dull ar gyfer ffigurau ystyrlon yn *union yr un fath* â'r dull ar gyfer lleoedd degol ar wahân i'r ffaith fod darganfod safle'r *DIGID OLAF* yn fwy anodd - y seroau sy'n drafferthus ...

1) Ffigur ystyrlon cyntaf unrhyw rif yw'r DIGID CYNTAF NAD YW'N SERO.

2) Mae'r 2il ffigur ystyrlon, y 3ydd, y 4ydd etc. yn dilyn yn union ar ôl y 1af, P'UN AI EU BOD YN SEROAU NEU BEIDIO.

e.e. 0.003409 3.04070

FFIGURAU YSTYRLON: 1af 2il 3ydd 4ydd 1af 2il 3ydd 4ydd

(Pe baem yn talgrynnu i 3 ffigur ystyrlon, y DIGID OLAF fyddai'r 3ydd ffigur ystyrlon.)

3) Ar ôl *talgrynnu* y DIGID OLAF, rhaid llenwi i mewn SEROAU terfyn hyd at y pwynt degol, ond NID Y TU HWNT i'r pwynt hwnnw.

Ni ddylai *seroau ychwanegol* fyth gael eu rhoi i mewn *ar ôl* y pwynt degol.

Enghreifftiau	*hyd at 4 ffig yst.*	*hyd at 3 ffig yst.*	*hyd at 2 ffig. yst.*	*hyd 1 ffig. yst.*
1) 34.8751	34.88	34.9	35	30
2) 16.0057	16.01	16.0	16	20
3) 0.0023904	0.002390	0.00239	0.0024	0.002
4) 10795.2	10800	10800	11000	10000

CYFEILIORNAD POSIBL O HANNER UNED WRTH DALGRYNNU

Pryd bynnag y caiff mesuriad ei dalgrynnu i UNED benodol, gall y mesuriad iawn fod hyd at HANNER UNED yn fwy neu yn llai.

Enghreifftiau

1) Dywedir bod gan wal "*uchder o 6m i'r METR agosaf*" - gallai ei uchder iawn fod yn unrhyw beth o *5.5m i 6.5m* - h.y. HANNER METR y naill ochr a'r llall i 6m.
2) Pe bai'r uchder yn cael ei roi fel "*6.4m, i'r 0.2m agosaf*", gallai fod yn unrhyw beth o *6.3m i 6.5m* - h.y. *0.1m y naill ochr a'r llall* i 6.4m.
3) "Mae gan ysgol 2800 o ddisgyblion i 2 ffig. yst." (h.y. i'r 100 agosaf) - gallai'r ffigur iawn fod yn unrhyw beth *o 2750 i 2849*. - (Pam nad yw'n 2850?)

Y Prawf Hollbwysig:

DYSGWCH y dudalen hon i gyd, yna cuddiwch hi ac ysgrifennwch bopeth rydych wedi'i ddysgu.

1) Talgrynnwch y rhain i 2 le degol: a) 7.309 b) 0.057 c) 1.083 d) 4.597
2) Talgrynnwch y rhain i 3 ffig. yst., ac ar gyfer pob un nodwch pa un o'r 3 rheol ynglŷn â SEROAU sy'n berthnasol: a) 0.03582 b) 63615 c) 345.86 d) 0.70985
3) Mae ystafell yn 18 troedfedd o hyd i'r droedfedd agosaf. Beth yw'r hyd hiraf a byrraf y gallai fod, mewn troedfeddi a modfeddi? (e.e. 13 troedfedd 3 modfedd)

Manwl Gywirdeb ac Amcangyfrif

Manwl Gywirdeb Priodol

Yn eich arholiad efallai y cewch gwestiwn yn gofyn am ateb "*o fanwl gywirdeb priodol*" ar gyfer mesuriad penodol.
Sut y byddwch yn penderfynu beth yw manwl gywirdeb priodol? Yr allwedd i hyn yw i ba *nifer o ffigurau ystyrlon* (gweler tud. 7) y byddwch yn ei roi. Dyma'r rheolau syml:

1) Ar gyfer mesuriadau gweddol ddibwys, 2 FFIGUR YSTYRLON sydd fwyaf priodol.

ENGHREIFFTIAU:

COGINIO - 250g (2 ffig. yst.) o siwgr
(*nid* 253g (3 Ff Y) na 300g (1 Ff Y)
PELLTER TAITH - 320 milltir neu 15 milltir neu 2400 milltir (Pob un yn 2 Ff Y)
ARWYNEBEDD GARDD NEU LAWR - $480m^2$ neu $18m^2$

2) Ar gyfer PETHAU PWYSICACH NEU FWY TECHNEGOL, mae 3 FFIGUR YSTYRLON yn hanfodol.

ENGHREIFFTIAU:

HYD a gaiff ei DORRI I FFITIO, e.e. Byddech yn mesur hyd silff yn 75.6cm
(*nid* 76cm na 75.63cm)
FFIGUR TECHNEGOL, e.e. 35.1 milltir y galwyn
(*yn hytrach na* *35 myg*)
Unrhyw fesuriad MANWL GYWIR â phren mesur:
e.e. 44.5cm (*nid* *40cm na 44.54cm*)

3) Dim ond ar gyfer GWAITH GWYDDONOL y cewch fwy na 3 FFIG. YST.

Er enghraifft, dim ond rhywun *brwd iawn* fyddai am wybod hyd darn o biben *i'r ddegfed ran agosaf o mm* - e.e. 34.46cm. *(Druan ohono!)*

AMCANGYFRIF CYFRIFIADAU

Os byddwch yn sylweddoli beth sy'n ddisgwyliedig, mae hyn yn *HAWDD IAWN*. Mae pobl yn drysu am eu bod yn ei *orgymhlethu*. I *amcangyfrif* rhywbeth, dyma sydd i'w wneud:

1) TALGRYNNU POPETH i RIFAU CYFLEUS.
2) Yna CYFRIFO'R ATEB gan ddefnyddio'r rhifau cyfleus hynny - a dyna'r cyfan.

Does dim angen i chi boeni am gael yr ateb yn "anghywir", oherwydd dim ond syniad bras o'r ateb cywir sydd ei angen, e.e. a yw tua 50 neu tua 500?
Yn yr arholiad, fodd bynnag, cofiwch fod angen *dangos pob cam a wnaethoch* er mwyn profi nad defnyddio cyfrifiannell yn unig wnaethoch chi.

Edrychwch ar yr enghraifft i fyny fan acw ↗

Manwl Gywirdeb ac Amcangyfrif

Enghraifft o Amcangyfrif yr ateb i Gyfrifiad:

Cw: AMCANGYFRIFWCH werth $\frac{48.6 \times 5.2}{117.4 + 375.9}$ gan ddangos eich holl waith cyfrifo.

ATEB:

$\frac{48.6 \times 5.2}{117.4 + 375.9} \approx \frac{50 \times 5}{120 + 380} \approx \frac{250}{500} \approx \frac{1}{2}$ (mae "$\approx$" yn golygu "*bron yn hafal i*")

Amcangyfrif Arwynebedd a Chyfaint

Dydy hyn ddim yn rhy wael chwaith - os *DYSGWCH Y DDAU GAM*:

1) Llunio neu ddychmygu PETRYAL NEU GIWBOID o faint tebyg i'r gwrthrych dan sylw.
2) Talgrynnu'r hydoedd i gyd i'r RHIF CYFAN AGOSAF, ac yna cyfrifo - hawdd.

ENGHREIFFTIAU:

a) Amcangyfrifwch arwynebedd Awstralia:

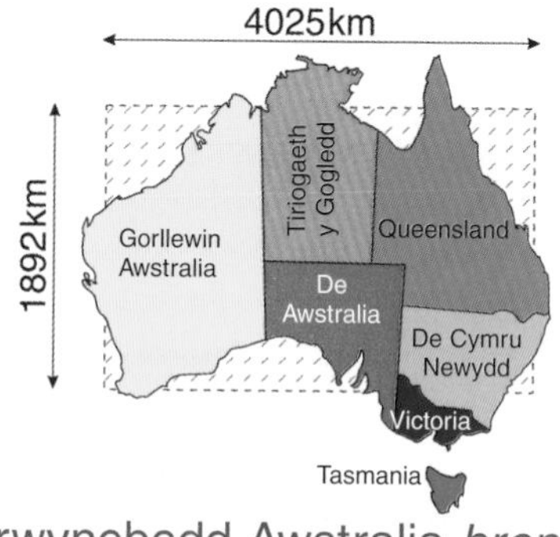

Mae arwynebedd Awstralia *bron yn hafal i* arwynebedd y petryal a ddangosir:
h.y. 1892km × 4025km = 7 615 300km^2
(neu, heb gyfrifiannell:
2000 × 4000 = 8 000 000km^2)

b) Amcangyfrifwch gyfaint y fâs:

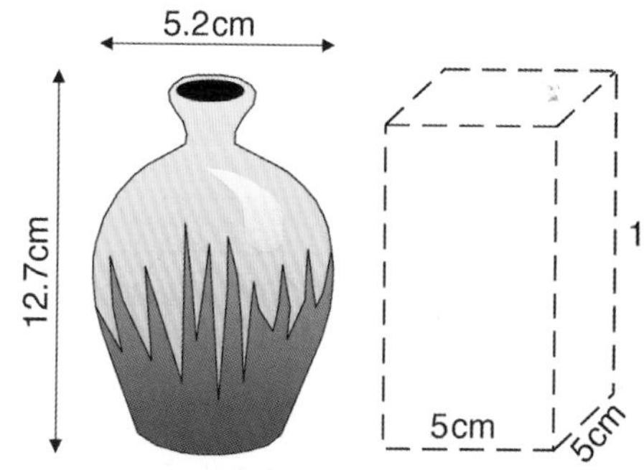

Mae cyfaint y fâs *bron yn hafal i* gyfaint y ciwboid a ddangosir
= 5 × 5 × 13
= 325cm^3

Y Prawf Hollbwysig:

DYSGWCH y 3 RHEOL ynglŷn â Manwl Gywirdeb Priodol a'r 4 RHEOL ar gyfer Amcangyfrif.

Yna cuddiwch y dudalen ac ysgrifenwch nhw i gyd oddi ar eich cof.

YNA RHOWCH GYNNIG AR Y RHAIN:

1) Amcangyfrifwch: a) arwynebedd y Deyrnas Unedig mewn milltiroedd sgwâr,
   b) cyfaint pêl-droed mewn modfeddi^3.
2) Penderfynwch i ba gategori o fanwl gywirdeb y dylai y canlynol berthyn a thalgrynnwch nhw yn unol â hynny: a) Pwysau teisen briodas yw 2.561kg b) Taldra dyn yw 182.61cm
   c) Mae gan bentref 1048 o drigolion d) Mae trên yn teithio 117.55mya.

Ffactorau Trawsnewid

Mae defnyddio Ffactorau Trawsnewid yn ffordd dda iawn o ddelio ag amrywiaeth eang o gwestiynau ac mae'r dull yn hawdd iawn.

Dull

1) Darganfyddwch y Ffactor Trawsnewid (bob amser yn hawdd)
2) Lluoswch â'r rhif yma A rhannwch â'r rhif yma (i gael 2 ateb)
3) Dewiswch yr ateb sy'n gwneud synnwyr

Tair Enghraifft Bwysig

1) *"Trawsnewidiwch 4.45 awr yn funudau."* (NID 4 awr 45 munud yw hwn)

1) Ffactor trawsnewid = 60 (oherwydd bod 1 awr = 60 munud)
2) 4.45 awr × 60 = 267 munud (sy'n gwneud synnwyr)
   4.45 awr ÷ 60 = 0.0742 munud (ateb chwerthinllyd!)
3) Mae'n amlwg, felly, mai'r ateb yw 4.45 awr = 267 munud (= 4 awr 27 munud)

2) *"Os yw £1 = 1.65 Ewro, faint yw 15.43 Ewro mewn £ a c?"*

1) Yn amlwg, y Ffactor Trawsnewid = 1.65 (Y "gyfradd cyfnewid")
2) 15.43 × 1.65 = £25.46
   15.43 ÷ 1.65 = £9.35
3) Nid yw mor amlwg y tro hwn, ond os yw tua 2 Ewro = £1, yna ni all 15 Ewro fod yn llawer - yn sicr nid yw'n £25.46. Felly, mae'n rhaid mai £9.35 yw'r ateb.

3) *"Graddfa map penodol yw 1:50,000. Faint mewn bywyd real yw pellter o 6cm ar y map?"*

1) Ffactor Trawsnewid = 50 000
2) 6cm × 50 000 = 300 000cm (posibl)
   6cm ÷ 50 000 = 0.00012cm (amhosibl)
3) Felly, 300 000cm yw'r ateb.
   Sut mae trawsnewid hyn yn fetrau?

I drawsnewid 300 000cm yn fetrau:
1) Ff.T. = 100 (cm ⟷ m)
2) 300 000 × 100 = 30,000,000m
   300 000 ÷ 100 = 3000m (dyna welliant)
3) Felly, yr ateb = 3000m (neu 3km).

Y Prawf Hollbwysig:

DYSGWCH 3 cham dull y Ffactorau Trawsnewid. Yna cuddiwch y dudalen ac ysgrifennwch nhw.

1) Trawsnewidiwch 5.4km yn fetrau.
2) Pa un sydd fwyaf, £28 neu 18 Ewro? (Defnyddiwch 1.65)
3) Mae map wedi'i lunio yn ôl y raddfa 4cm = 5km. Hyd ffordd benodol yw 40km. Faint o cm fydd hynny ar y map? (Awgrym, Ff.T. = 5 ÷ 4, h.y. 1cm = 1.25km)

Unedau Metrig ac Imperial

Mae *Marciau Hawdd* i'w cael am y pwnc hwn - gwnewch yn siŵr eich bod yn eu cael.

Unedau Metrig

1) Hyd	mm, cm, m, km
2) Arwynebedd	mm^2, cm^2, m^2, km^2
3) Cyfaint	mm^3, cm^3, m^3, litrau, ml
4) Pwysau	g, kg, tunelli metrig
5) Buanedd	km/a, m/s

DYSGWCH Y FFEITHIAU ALLWEDDOL HYN:

1cm = 10mm	1 dunnell fetrig = 1000kg
1m = 100cm	1 litr = 1000ml
1km = 1000m	1 litr = $1000cm^3$
1kg = 1000g	1 cm^3 = 1 ml

Unedau Imperial

1) Hyd	Modfeddi, troedfeddi, llathenni, milltiroedd
2) Arwynebedd	Modfeddi sgwâr, troedfeddi sgwâr, llathenni sgwâr, milltiroedd sgwâr
3) Cyfaint	Modfeddi ciwbig, troedfeddi ciwbig, galwyni, peintiau
4) Pwysau	Ownsys, pwysi, stonau, tunelli
5) Buanedd	mya

DYSGWCH Y RHAIN HEFYD!

1 Droedfedd = 12 Modfedd
1 Llathen = 3 Troedfedd
1 Galwyn = 8 Peint
1 Stôn = 14 Pwys (lb)
1 Pwys = 16 Owns (Oz)

Trawsnewidiadau Metrig-Imperial

MAE ANGEN I CHI DDYSGU'R RHAIN - dydyn nhw DDIM yn addo rhoi'r rhain i chi yn y papur arholiad, felly mae'n bosibl na fyddan nhw yno.

TRAWSNEWIDIADAU BRAS

1kg = $2\frac{1}{4}$ pwys	1 galwyn = 4.5 litr
1m = 1 llathen (+ 10%)	1 droedfedd = 30cm
1 litr = $1\frac{3}{4}$ peint	1 dunnell fetrig = 1 dunnell imperial
1 fodfedd = 2.5cm	1 filltir = 1.6km neu 5 milltir = 8km

Defnyddio Ffactorau Trawsnewid Metrig-Imperial

(Gweler tud. 10)

1) Trawsnewidiwch 36mm yn cm.
ATEB: Ff.T. = 10, felly × neu ÷ â 10, sy'n rhoi 360cm neu 3.6cm. (Synhwyrol)

2) Trawsnewidiwch 45 modfedd yn cm.
ATEB: Ff.T. = 2.5, felly × neu ÷ â 2.5, sy'n rhoi 18cm neu 112.5cm.

3) Trawsnewidiwch 2.77 litr yn beintiau.
ATEB: Ff.T. = $1\frac{3}{4}$, felly × neu ÷ â 1.75, sy'n rhoi 1.58 neu 4.85 peint.

Y Prawf Hollbwysig:

DYSGWCH y 21 Ffactor Trawsnewid uchod. Yna cuddiwch y dudalen a'u hysgrifennu.

1) Mae car yn teithio 55mya. Beth yw ei fuanedd mewn km/awr?
2) Yn fras, tua faint o lathenni yw 200m? 3) Beth yw 74 modfedd mewn cm?
4) Mae petrol yn costio £3.14 y galwyn? Beth ddylai ei gostio am bob litr?
5) Faint o litrau yw $2\frac{1}{2}$ galwyn?

Ffracsiynau Heb y Cyfrifiannell

Efallai y cewch eich gorfodi (mewn arholiad) i ddangos eich gallu i wneud ffracsiynau *trwy waith llaw* ... felly, dylech ddysgu'r canlynol.

1) Trawsnewid Ffracsiynau yn Ddegolion - Dim ond Rhannu

Cofiwch mai ystyr " / " yw " ÷ ", felly $^1/_4$ yw $1 \div 4 = 0.25$

Beth yw ystyr A/B?
Gallai hyn eich drysu ond cofiwch nad yw'n ddim mwy na ffordd o ysgrifennu FFRACSIWN ar un llinell, a dylech wybod bod ffracsiwn yn golygu UN PETH WEDI'I RANNU Â PHETH ARALL.

Felly *yr un ystyr* sydd i A/B $\frac{A}{B}$, $^A/_B$ ac $A \div B$.

Er enghraifft, yr un peth yw 5/11, $\frac{5}{11}$, $^5/_{11}$ a $5 \div 11$ (= 0.4545...).

2) Trawsnewid Degolion yn Ffracsiynau

- mae'n rheol syml, felly gweithiwch chi hi allan!:

$0.2 = {}^2/_{10}$, $0.9 = {}^9/_{10}$, $0.6 = {}^6/_{10}$, etc.

$0.15 = {}^{15}/_{100}$, $0.32 = {}^{32}/_{100}$, $0.06 = {}^6/_{100}$, $0.68 = {}^{68}/_{100}$, etc.

$0.234 = {}^{234}/_{1000}$, $0.085 = {}^{85}/_{1000}$, $0.505 = {}^{505}/_{1000}$, etc.

Yna gall y rhain gael eu canslo i lawr.

Gwneud hyn Trwy Waith Llaw:

1) Lluosi - hawdd

Lluoswch y top a'r gwaelod ar wahân:

$$^2/_3 \times {}^5/_7 = {}^{2\times5}/_{3\times7} = {}^{10}/_{21}$$

2) Rhannu - gweddol hawdd

Trowch yr 2il ffracsiwn *WYNEB I WAERED* ac yna lluoswch:

$$^1/_2 \div {}^6/_7 = {}^1/_2 \times {}^7/_6 = {}^7/_{12}$$

3) Adio, tynnu - pryderus

Adiwch neu dynnwch y *LLINELLAU TOP YN UNIG* ond *dim ond os ydy'r rhifau ar y gwaelod yr un fath.* (Os nad ydynt yr un fath mae'n mynd yn gymhleth.)

$$^3/_5 + {}^1/_5 = {}^4/_5$$

$$^7/_8 - {}^3/_8 = {}^4/_8$$

4) Canslo i lawr - hawdd

Rhannwch y top a'r gwaelod â'r un rhif, hyd nes na allan nhw fynd ymhellach:

$$^{16}/_{48} \overset{\div 8}{=} {}^2/_6 \overset{\div 2}{=} {}^1/_3$$

Ffracsiynau Gyda'r Cyfrifiannell

Os yw'n bosibl, defnyddiwch eich cyfrifiannell i wneud pob ffracsiwn yn yr arholiad.

Y Botwm Ffracsiwn: [$a^b/_c$]

Defnyddiwch hwn gymaint â phosibl yn yr arholiad. Mae'n hawdd iawn, felly gwnewch yn siŵr eich bod yn gwybod sut i'w ddefnyddio - fel arall fe gollwch farciau:

Cyfrifianellau? Mae Waldo'n cael trafferth â'r rhain, o ydy ...

1) I FWYDO I MEWN FFRACSIWN NORMAL fel $^1/_5$

Pwyswch: [1] [$a^b/_c$] [5]

2) I FWYDO I MEWN FFRACSIWN CYMYSG fel $1^3/_4$

Pwyswch: [1] [$a^b/_c$] [3] [$a^b/_c$] [4]

3) I WNEUD CYFRIFIAD CYFFREDIN fel $^2/_5 \times ^1/_4$

Pwyswch: [2] [$a^b/_c$] [5] [×] [1] [$a^b/_c$] [4] [=]

4) I GANSLO FFRACSIWN I'W DERMAU ISAF

Bwydwch ef i mewn ac yna pwyswch: [=]

e.e. $^{12}/_{24}$ [12] [$a^b/_c$] [24] [=] → 1⌟2 $= ^1/_2$

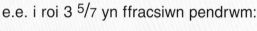

5) I DRAWSNEWID RHWNG FFRACSIYNAU CYMYSG A FFRACSIYNAU PENDRWM

Pwyswch [SHIFT] [$a^b/_c$] e.e. i roi $3\ ^5/_7$ yn ffracsiwn pendrwm:

Pwyswch [3] [$a^b/_c$] [5] [$a^b/_c$] [7] [SHIFT] [$a^b/_c$] sy'n rhoi'r ateb $^{26}/_7$.

Y Prawf Hollbwysig:

DYSGWCH y 2 Reol ar gyfer trawsnewid Ffracsiynau ↔ Degolion, y 4 Dull â Llaw a 5 nodwedd y Botwm Ffracsiwn.

Yna cuddiwch y ddwy dudalen yma ac ysgrifennwch yr hyn rydych wedi'i ddysgu.

1) Gwnewch y rhain *TRWY WAITH LLAW:*

a) $^1/_4 \times ^5/_7$ b) $^2/_3 \div ^5/_9$ c) $^5/_{12} + ^3/_{12}$ d) Mynegwch $^{33}/_{55}$ yn ei dermau isaf.

2) Gwnewch y rhain *GAN DDEFNYDDIO CYFRIFIANNELL:*

a) Trawsnewidiwch $^3/_5$ yn ddegolyn. b) Trawsnewidiwch 0.88 yn ffracsiwn a'i ganslo i lawr.

c) $^1/_2 \times ^3/_5$ d) $^5/_6 \div ^3/_4$ e) $^7/_8 - ^4/_8$ f) Darganfyddwch x: $3^1/_4 = ^x/_4$

g) Darganfyddwch y: $^{36}/_{81} = ^4/_y$.

Canrannau

Yn groes i'r farn gyffredin mae *tri math gwahanol* o gwestiynau ar ganrannau. Mae'n amlwg, felly, ei bod yn *hanfodol* i chi allu:

1) Gwahaniaethu rhwng y tri math
2) Cofio'r DULL ar gyfer pob un ohonynt

Math 1

- NODIR Y RHAIN GAN Y SYMBOL "%" YN Y CWESTIWN

Dyma'r math hawsaf - maen nhw bob amser ar y ffurf:

DARGANFYDDWCH "rywbeth" % o "rywbeth arall"

Dull

Er enghraifft: Darganfyddwch 35% *o* £200.

1) *YSGRIFENNWCH:* 35% o £200

2) *NEWIDIWCH YN FATHEMATEG:* $\frac{35}{100} \times 200 = £70$

3) *GWIRIWCH EI FOD YN ATEB SYNHWYROL.*

Cofiwch:
1) Mae "**O**" yn golygu "×"
2) *Ystyr* "Y CANT" yw "ALLAN O 100", felly ystyr 35% yw "35 allan o 100", h.y. $\frac{35}{100}$.

Math 2

- NODIR Y RHAIN GAN Y GAIR *"CANRAN"* YN Y CWESTIWN

Maen nhw bob amser ar y ffurf:

MYNEGWCH "un peth" FEL CANRAN O "beth arall"

Dull - Ff.D.C.

Er enghraifft:
Mynegwch £12 *fel canran* o £80.

Ff. D. C.: Ffracsiwn - Degolyn - Canran

(Gweler tud. 5)

$\frac{12}{80} \xrightarrow{12 \div 80} 0.15 \xrightarrow{\times 100} 15\%$

Gwnewch ffracsiwn o'r 2 rif - gan roi'r rhif lleiaf ar y top bob tro.

Rhannwch nhw i gael degolyn.

Yna lluoswch â 100 i gael canran.

Canrannau

Math 3 - NODIR Y RHAIN GAN Y FFAITH NA RODDIR Y "GWERTH GWREIDDIOL" I CHI

Dyma'r math y bydd y rhan fwyaf o bobl yn ei gael yn anghywir - a hynny am nad ydynt yn sylweddoli mai math 3 yw'r cwestiwn ac nad ydynt yn defnyddio'r dull syml hwn:

Enghraifft:

Mae gwerth tŷ yn cynyddu 25% i £90,000. Darganfyddwch ei werth *cyn* y cynnydd.

Dull

	£90,000	=	125%
$\div$ 125	£720	=	1%
$\times$ 100	£72,000	=	100%

Felly y pris gwreiddiol oedd £72,000

Mae *cynnydd* o 25% yn golygu bod £90,000 yn cynrychioli *125% o'r gwerth gwreiddiol*. Pe bai'n *OSTYNGIAD* o 25%, byddem yn rhoi yn hytrach "£90,000 = 75%", ac yna'n rhannu â 75 ar yr ochr chwith yn hytrach nag â 125.

Ysgrifennwch eich atebion fel yr enghraifft hon bob tro. Y rhan anodd yw penderfynu ar y ffigur % sydd ar y top ar yr ochr dde - mae'r ail res a'r drydedd yn 1% a 100% *bob tro*.

Newid Canrannol

(*Enghraifft bwysig o fath 2*)

Mae'n go gyffredin i roi *newid mewn gwerth* fel *canran*.
Dyma'r fformiwla ar gyfer gwneud hyn - *DYSGWCH HI A'I DEFNYDDIO:*

$$\text{"NEWID" CANRANNOL} = \frac{\text{"NEWID"}}{\text{GWREIDDIOL}} \times 100$$

Gallai "newid" olygu pob math o bethau megis: "Elw", "colled", "arbrisiant", "dibrisiad", "cynnydd", "gostyngiad", "cyfeiliornad", "disgownt", etc. Er enghraifft, *"elw" canrannol* $= \dfrac{\text{"elw"}}{\text{gwreiddiol}} \times 100$

Cofiwch ei bod hi'n bwysig iawn defnyddio'r *GWERTH GWREIDDIOL* yn y fformiwla hon.

Y Prawf Hollbwysig:

DYSGWCH y 3 Math, sut i'w hadnabod a'r Dull ar gyfer pob un. DYSGWCH hefyd Fformiwla Newid Canrannol.

Yna *cuddiwch y tudalennau ac ysgrifennwch yr holl fanylion* rydych wedi'u dysgu.

Nodwch y cwestiynau canlynol yn ôl eu math (Math 1, 2 neu 3), a defnyddiwch y dull ar gyfer pob un. *Dylech ymarfer nes y gallwch eu gwneud heb y nodiadau:*

1) Darganfyddwch y swm sydd i'w dalu ar fil cyfreithiwr a roddir fel: "£220 + 17.5% TAW".
2) Mae pris cot wedi'i ostwng i £88 mewn sêl "gostyngiad o 20%". Beth oedd ei phris cyn y sêl?
3) Mae cyflog dyn yn codi o £240 yr wythnos i £270. Darganfyddwch ei godiad wythnosol mewn £ a'i fynegi fel canran.

Botymau Cyfrifiannell 1

Peth diflas yw ceisio defnyddio cyfrifiannell heb fawr o lwyddiant a gorfod pwyso'r botwm diddymu o hyd.
Byddwch yn *ARBED* amser yn y pen draw (ac yn lleihau'r rhwystredigaeth) os cymerwch ychydig o amser i ddysgu'r triciau canlynol a'u hymarfer.
(Mae'r cyfarwyddiadau hyn yn bennaf ar gyfer cyfrifianellau Casio syml. Os oes gennych gyfrifiannell gwahanol, gofynnwch i'ch athro am help i ddod o hyd i'r botymau.)

1) Y Ddau Fotwm Diddymu

C (LLED-DDIDDYMU) a AC (DIDDYMU POPETH)

(Fel arall, gyda on/c neu CE/C, pwyswch UNWAITH i led-ddiddymu a DWYWAITH i ddiddymu popeth.)
Peidiwch â llithro i'r arfer o bwyso'r botwm AC bob tro y bydd pethau'n dechrau mynd o chwith.

Mae'r botwm C yn well o lawer os ydych yn gwybod yr hyn mae'n ei wneud: DIM OND Y RHIF YR YDYCH YN EI ROI I MEWN Y MAE'N EI DDIDDYMU. Mae popeth arall yn aros fel y mae.

Os dysgwch ddefnyddio C yn hytrach na AC ar gyfer cywiro rhifau anghywir, byddwch yn haneru yr amser a dreuliwch yn pwyso botymau'r cyfrifiannell!

2) Botymau Hunanddiddymu

Y botymau ffwythiant HUNANDDIDDYMU yw'r pedwar hyn: × ÷ + −

Y peth i'w gofio yma yw bod y pedwar botwm yma yn fotymau HUNANDDIDDYMU. Os pwyswch + ac yna ÷ , bydd eich cyfrifiannell yn anwybyddu'r + ac yn gweithredu ÷ yn ei le.

Felly: OS PWYSWCH Y BOTWM FFWYTHIANT ANGHYWIR, anwybyddwch hynny, pwyswch yr un cywir, ac EWCH YMLAEN.

Gwnewch 9 × ÷ + − 5 = i weld pa mor dda mae'n gweithio.

3) Botwm yr Ail Ffwythiant

Botwm yr AIL FFWYTHIANT yw naill ai SHIFT neu 2nd neu INV .
Mae'r rhan fwyaf o fotymau cyfrifiannell yn gweithredu 2 ffwythiant. Mae'r prif ffwythiant ar y botwm ei hun, a'r 2il ffwythiant wedi'i ysgrifennu uwchben y botwm. I ddefnyddio 2il ffwythiant unrhyw fotwm pwyswch SHIFT neu 2nd neu INV yn gyntaf.

(Ar rai cyfrifianellau, efallai y bydd 3 ffwythiant i lawer o'r botymau. Yn ffodus mae cod lliw arnynt, felly bydd y lliw ar y botwm SHIFT neu 2nd neu INV yn cyfateb i liw'r 2il ffwythiant sydd wedi'i ysgrifennu uwchben y botymau eraill.)

Botymau Cyfrifiannell 2

4) Sgwâr, Ail Isradd, Trydydd Isradd

Y botymau SGWÂR, AIL ISRADD a THRYDYDD ISRADD yw [X²] [√] a [∛].

1) Mae'r botwm [X²] yn sgwario'r rhif sydd ar y dangosydd, h.y. MAE'N EI LUOSI Â'I HUN. Mae'n ddelfrydol ar gyfer darganfod arwynebedd cylch, gan ddefnyddio'r fformiwla:

   $A = \pi r^2$ e.e. os yw $r = 5$ pwyswch [3.14] [×] [5] [X²] [=] sy'n rhoi 78.5.

   (Yn anffodus, ar lawer o gyfrifianellau [X²] yw 2il ffwythiant y botwm [√], felly mae'n rhaid pwyso [SHIFT] [√] i gael [X²]. Gweler tud. 24 "Pwerau" a thud. 25 "Israddau" am fwy o wybodaeth.)

2) Mae [√] yn GWRTHDROI PROSES [X²] — mae'n rhoi AIL ISRADD y rhif sydd ar y dangosydd. Gwnewch hyn: [25] [√] [X²] [√] [X²] ... dylech gael 25, 5, 25, 5, 25, etc.

3) Mae [∛] yn rhoi TRYDYDD ISRADD (Gweler tud. 25) y rhif sydd ar y dangosydd. Ail ffwythiant arall yw hwn, felly fe'i gwelwch wedi'i ysgrifennu uwchben botwm arall, fel rheol y botwm [+/−].

5) Y Botwm Plws/Minws

Yr hyn mae'r botwm PLWS/MINWS [+/−] yn ei wneud yw gwrthdroi arwydd + neu - y rhif sydd *ar y dangosydd yn barod*. FE'I DEFNYDDIR YN BENNAF AR GYFER BWYDO RHIFAU NEGATIF.

ER ENGHRAIFFT: I gyfrifo -9×-3 byddech yn pwyso [9] [+/−] [×] [3] [+/−] [=].

Sylwch eich bod yn pwyso [+/−] AR ÔL i chi roi'r rhif i mewn.

6) Y Botymau Cof

Y BOTYMAU COF yw [Min] (i'r Cof) a [MR] (o'r Cof).

(Ar gyfrifianellau eraill gelwir y botymau cof yn [STO] (storfa) a [RCL] (o'r storfa))

Yn groes i'r farn gyffredin, dydy'r botwm cof ddim wedi'i lunio ar gyfer storio rhif ffôn eich hoff berson, ond mae'n nodwedd ddefnyddiol iawn ar gyfer cadw rhif rydych newydd ei gyfrifo fel y gallwch ei ddefnyddio eto yn fuan wedyn.

Yr enghraifft glasurol yw cyfrifo rhywbeth fel $\frac{18}{10 + 5\text{COS}60}$. Y peth mwyaf diogel i'w wneud yw cyfrifo'r llinell waelod yn gyntaf a'i roi yn y cof. Byddech yn pwyso'r rhain:

[60] [COS] [=] [×] [5] [=] [+] [10] [=] ac yna [Min] i gadw canlyniad y llinell waelod yn y cof.
([STO] neu [STO] [M] neu [STO] [1] ar gyfrifianellau eraill.)

(Sylwch hefyd nad y ffordd orau bob amser yw gwneud pethau yn y drefn yr ysgrifennwyd nhw, a bod pwyso "=" ar ôl pob rhan yn SICRHAU bod y cyfrifiannell yn gwneud yr hyn rydych yn bwriadu iddo ei wneud.)

Yna pwyswch [18] [÷] [MR] a'r ateb yw 1.44. Wedi i chi ymarfer defnyddio'r botymau cof am ychydig, fe'u cewch nhw'n ddefnyddiol iawn a byddan nhw'n cyflymu pethau cryn dipyn. (Ar gyfrifianellau eraill [MR] yw [RCL] neu [RCL] [M] neu [RCL] [1])

(I glirio'r cof, storiwch y gwerth sero yn y cof a bydd yr M fach ar y dangosydd yn diflannu.)

Botymau Cyfrifiannell 3

7) Corlat a'r Botymau Cromfachau

Y BOTYMAU CROMFACHAU yw [(--- a ---)] .

Un o'r problemau mwyaf y bydd pobl yn eu cael â'u cyfrifianellau yw na fyddant yn sylweddoli bod y cyfrifannell bob amser yn gweithio pethau allan MEWN TREFN BENODOL, a grynhoir yn y gair CORLAT (gweler tud. 33), sy'n dynodi:

Cromfachau, O (flaen), Rhannu, Lluosi, Adio, Tynnu

Mae hyn yn bwysig iawn pan fyddwch am gyfrifo hyd yn oed rywbeth syml fel $\frac{12 + 34}{56 \times 2}$ - ofer fyddai pwyso 12 + 34 ÷ 56 × 2 = - byddai'n gwbl anghywir. Bydd y cyfrifiannell yn meddwl eich bod yn golygu $12 + \frac{34}{56} \times 2$ oherwydd y bydd y cyfrifiannell yn gwneud y *rhannu a'r lluosi* CYN gwneud yr *adio*.

Y gyfrinach yw defnyddio'r BOTYMAU CROMFACHAU i ANWYBYDDU trefn awtomatig y gweithrediadau. Cromfachau sy'n cael y flaenoriaeth - bydd unrhyw beth mewn cromfachau yn cael ei gyfrifo cyn i ddim arall ddigwydd iddo.

Felly yr hyn i'w wneud yw:

1) Ychwanegu cwpl o barau o gromfachau at y mynegiad: $\frac{(12 + 34)}{(56 \times 2)}$

2) Yna ei deipio yn union fel y mae wedi'i ysgrifennu:

[(--- 12 + 34 ---)] ÷ [(--- 56 × 2 ---)] =

Efallai eich bod yn credu ei bod hi'n anodd gwybod ble i roi'r cromfachau. Dydy hi ddim mor anodd â hynny, rydych yn eu rhoi mewn parau o amgylch pob grŵp o rifau.
Mae'n iawn hefyd i gael cromfachau o fewn cromfachau eraill, e.e. (6 + (7÷2))
Fel rheol does dim o'i le ar roi llawer o gromfachau i mewn, CYHYD AG Y BYDDANT MEWN PARAU BOB TRO.

8) Y Botwm Ffracsiwn: $a^{b}/_{c}$

Mae'n wir hanfodol eich bod yn dysgu sut i ddefnyddio'r botwm hwn ar gyfer gwneud ffracsiynau. Rhoddir manylion llawn ar dud. 13.

9) Y Botwm Pwerau: x^y

AR Y RHAN FWYAF O GYFRIFIANELLAU DYMA AIL FFWYTHIANT Y BOTWM × .

Fe'i defnyddir i gyfrifo pwerau rhifau yn gyflym. Er enghraifft, i ddarganfod 3^4, yn hytrach na phwyso 3 × 3 × 3 × 3 dylech bwyso 3 x^y 4 = (h.y. 3 SHIFT × 4 =).

Botymau Cyfrifiannell 4

10) Y Botwm Ffurf Safonol

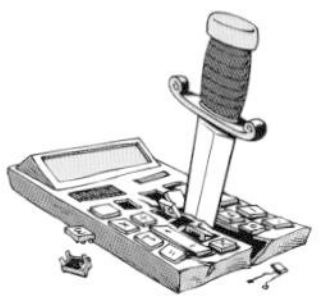

Na, peidiwch â'i ladd - dyma dudalen olaf y gwaith hwn.

Y BOTWM FFURF SAFONOL yw [EXP] neu [EE].

Yr unig bryd y byddwch yn ei ddefnyddio fydd i roi rhifau wedi'u hysgrifennu yn y *ffurf safonol* i mewn i'r cyfrifiannell.
Byddai'n fwy defnyddiol pe bai gwneuthurwyr y cyfrifianellau wedi'i labelu'n [$\times 10^n$] oherwydd dyna y dylech ei alw wrth i chi ei bwyso: "*Wedi'i luosi â deg i'r pŵer*..."

Er enghraifft i fwydo 5×10^3 RHAID I CHI BWYSO: [5] [EXP] [3]

ac NID, fel y mae llawer yn ei wneud: [5] [×] [10] [EXP] [3]

Mae pwyso [×] [10] yn ogystal â [EXP] yn ANGHYWIR, oherwydd bod [EXP] EISOES YN CYNNWYS y "× 10" ynddo. Dyna pam y dylech ddweud wrthych eich hun "WEDI'I LUOSI Â DEG I'R PŴER..." bob tro y byddwch yn pwyso'r botwm [EXP], er mwyn osgoi'r camgymeriad cyffredin iawn hwn.

Moddau

Mae hwn yn drafferthus ac ni fyddai angen i chi wybod amdano ar wahân i'r ffaith y byddwch weithiau yn mynd i'r modd anghywir yn ddamweiniol, a gall pethau fynd yn drafferthus os na wyddoch sut i ddychwelyd i normalrwydd.

Mae 3 MODD GWAHANOL y mae'n rhaid i'ch cyfrifiannell ddewis rhyngddynt:

	MODD CYFRIFO (mae angen y modd COMP)	MODD ONGLAU (mae angen y modd DEG)	MODD ARDDANGOS (mae angen NORMAL)
CASIO	Pwyswch [MODE] [0]	Pwyswch [MODE] [4] i roi D neu DEG ar y dangosydd	Bwydwch y rhif 0.0002 a phwyswch [MODE] [9] nes y bydd 0.0002 ar y dangosydd
TEXAS INSTR.	Trowch ef I FFWRDD ac yna trowch ef YMLAEN eto	Pwyswch [3rd] [DRG] i roi D neu DEG ar y dangosydd	Dowch o hyd i FLO uwchben un o'r botymau a'i weithredu
SHARP	Pwyswch [MODE] [0]	Pwyswch [DRG] nes y bydd D neu DEG ar y dangosydd	Bwydwch 65 a phwyswch [MODE] [•] nes y bydd yn dangos 65

Yn aml gall troi I FFWRDD ac yna troi YMLAEN eto eich cael yn ôl i'r modd iawn, ond nid bob tro.

Y Prawf Hollbwysig:

DYSGWCH FOTYMAU EICH CYFRIFIANNELL. Dylech YMARFER nes y gallwch wneud y rhain i gyd heb orfod troi yn ôl at y llyfr:

1) Eglurwch y ddau fath o ddiddymu.
2) Pryd fyddwch yn defnyddio'r botwm [SHIFT] ?
3) Rhowch enghreifftiau o ddefnyddio a) [x^2] : b) [$\sqrt{\ }$] : c) [+/−] .
4) Pa ddefnydd a wneir o [$a^{b}/_{c}$] ?
5) Darganfyddwch $\frac{10}{3 \times \sqrt{81}}$ gan ddefnyddio [Min] a [MR] .
6) Sut y byddech yn bwydo: a) 13^2; b) -3×-7.
7) Sut y byddech yn bwydo: a) 7^4; b) 7×10^4
8) Pa un ddylai fod i'w weld ar y top ar eich dangosydd: DEG, RAD neu GRAD?

Cymarebau

Mae'n haws o lawer deall CYMAREBAU wedi i chi ddysgu hyn:

Mae CYMHAREB yn FFRACSIWN yn DDEGOLYN

Mae cymarebau, ffracsiynau a degolion yn ffyrdd gwahanol o fynegi'r un peth, ac felly gallwch drawsnewid rhyngddynt yn rhwydd (gyda chanlyniadau rhyfeddol, fel y cewch weld). Er enghraifft:

Mae'r GYMHAREB 3 : 6 yn cyfateb i'r FFRACSIWN 3/6, sef 0.5 fel DEGOLYN (h.y. 3÷6).

Mewn llawer o gwestiynau sy'n ymwneud â chymhareb byddai'n haws o lawer i chi ddefnyddio'r ffracsiwn neu'r degolyn cywerth, yn hytrach nag ymdrechu â'r gymhareb - cofiwch hynny!

Lleihau Cymarebau i'w ffurf symlaf

Ar gyfer yr achosion symlaf dim ond dau gam hawdd sydd i symleiddio cymarebau:

1) Defnyddiwch y BOTWM FFRACSIYNAU $a^b/_c$ i fwydo'r GYMHAREB i mewn

Wedi i chi sylweddoli bod cymhareb fel 1 : 3 yn debyg yn y bôn i ffracsiwn 1/3, byddwch yn hapus i ddefnyddio'r botwm ffracsiwn $a^b/_c$ i fwydo cymarebau i mewn i'r cyfrifiannell ar ffurf ffracsiynau.

Er enghraifft: I fwydo'r gymhareb 3 : 9, pwyswch 3 $a^b/_c$ 9

2) Yna pwyswch = a bydd yn ei chanslo i lawr YN AWTOMATIG

Gan aros gyda'r enghraifft flaenorol o'r gymhareb 3 : 9, bydd pwyso = yn canslo'r ffracsiwn 3/9 i lawr i 1/3, sy'n golygu mai'r gymhareb syml yw 1 : 3. Hawdd, ynte?

Yr Achosion Mwy Lletchwith

1) Bydd y botwm $a^b/_c$ yn derbyn rhifau cyfan yn unig

Felly, OS YDY'R GYMHAREB YN LLETCHWITH (fel "2.4 : 3.6" neu "$1\frac{1}{4}$: $2\frac{3}{4}$") mae'n rhaid: LLUOSI'R DDWY OCHR â'r UN RHIF nes y bydd y ddau'n RHIFAU CYFAN ac yna gallwch ddefnyddio'r botwm $a^b/_c$ fel o'r blaen i'w symleiddio.
e.e. gyda "$1\frac{1}{4}$: $2\frac{3}{4}$", bydd × y ddwy ochr â 4 yn rhoi "5 : 11". (Triwch $a^b/_c$, ond wnaiff hyn ddim canslo ymhellach.)

2) Os ydy'r gymhareb yn UNEDAU CYMYSG

mae'n rhaid TRAWSNEWID Y DDWY OCHR i'r *UNEDAU LLEIAF* gan ddefnyddio'r FFACTOR TRAWSNEWID perthnasol (gweler tud. 10), ac yna mynd ymlaen yn ôl yr arfer, e.e. "36mm : 5.4cm" (× 5.4cm â 10) ⇒ 36mm : 54mm = 2 : 3 (gan ddefnyddio $a^b/_c$)

3) I leihau cymhareb i'r ffurf 1 : n

(gall *n* fod yn *unrhyw rif*)

RHANNWCH Y DDWY OCHR Â'R *OCHR LEIAF*.
e.e. ystyriwch "5 : 27" - bydd rhannu'r ddwy ochr â 5 yn rhoi: 1 : 5.4 (27÷5) (h.y. 1 : *n*)
Yn aml y ffurf 1 : *n* yw'r *mwyaf defnyddiol*, gan ei bod yn dangos y gymhareb yn glir iawn.

Cymarebau

Defnyddio'r Triongl Fformiwla mewn Cwestiynau ar Gymarebau

"Gwneir morter o dywod a sment yn ôl y gymhareb 9 : 2.
Os defnyddir 7 bwced o dywod, faint o sment sydd ei angen?"

Mae'r math hwn o gwestiwn arholiad yn weddol gyffredin ac mae'n go anodd i'r rhan fwyaf o bobl - ond wedi i chi ddechrau defnyddio dull y triongl fformiwla, mae'n ddigon hawdd.

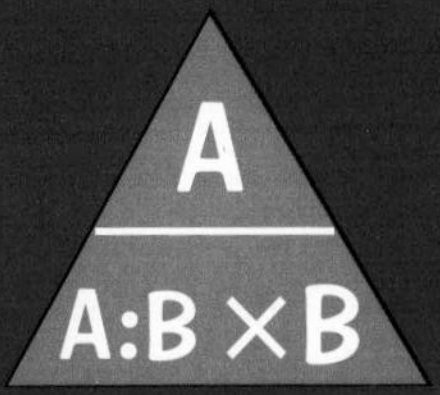

Dyma'r TRIONGL FFORMIWLA sylfaenol ar gyfer CYMAREBAU, ond SYLWCH:

1) MAE'N RHAID I'R GYMHAREB FOD Y FFORDD GYWIR, gyda'r RHIF CYNTAF YN Y GYMHAREB yn gysylltiedig â'r eitem AR Y TOP yn y triongl.
2) Bydd angen i chi DRAWSNEWID Y GYMHAREB yn FFRACSIWN CYWERTH neu'n Ddegolyn Cywerth bob tro i gyfrifo'r ateb.

Dangosir isod y triongl fformiwla ar gyfer cwestiwn y morter a'r tric yw i roi yn lle'r GYMHAREB 9 : 2 ei FFRACSIWN CYWERTH: 9/2 neu 4.5 fel degolyn (9÷2).

Felly, bydd cuddio sment yn y triongl yn rhoi i ni "sment = tywod / (9 : 2)" h.y. "7 / 4.5" = 7 ÷ 4.5 = 1.56 neu tua *1½ bwced o sment*.

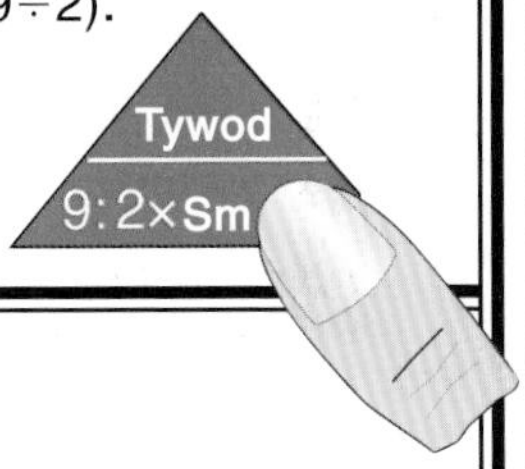

Rhannu Cyfrannol

Mewn *cwestiwn rhannu cyfrannol* mae *CYFANSWM* i gael ei *rannu yn ôl cymhareb benodol*.

e.e. "*Mae £1800 i gael ei rhannu yn ôl y gymhareb 2 : 3 : 1. Darganfyddwch y tri swm.*"

Y gair allweddol yma yw RHANNAU - canolbwyntiwch ar "rannau" a bydd yn ddigon hawdd.

Dull

1) ADIWCH Y RHANNAU:
   Mae'r gymhareb 2 : 3 : 1 yn golygu y bydd cyfanswm o 6 *rhan* h.y. 2+3+1 = 6 RHAN

2) DARGANFYDDWCH Y SWM AR GYFER UN *"RHAN"*
   Rhannwch y *cyfanswm* â nifer y *rhannau*: £1800 ÷ 6 = £300 (= 1 RHAN)

3) FELLY DARGANFYDDWCH Y TRI SWM:
   2 ran = 2×300 = £600   3 ran = 3×300 = £900,   1 rhan = £300

Y Prawf Hollbwysig:

DYSGWCH y 6 RHEOL ar gyfer SYMLEIDDIO, y TRIONGL FFORMIWLA ar gyfer Cymarebau (ynghyd â 2 bwynt i'w nodi), a'r 3 Cham ar gyfer RHANNU CYFRANNOL.

Yna *cuddiwch y tudalennau* ac *ysgrifennwch y cyfan*. Triwch eto *nes y llwyddwch*.

1) Symleiddiwch: a) 20 : 32   b) 2.6 : 3.9   c) $1\frac{3}{4}$: $3\frac{1}{2}$
2) Mae syryp a hufen iâ yn cael eu cymysgu yn ôl y gymhareb 2 : 7. Faint o hufen iâ ddylai fynd gyda 10 cyfran o syryp?   3) Rhannwch £5100 yn ôl y gymhareb 9 : 2 : 6.

Y Ffurf Indecs Safonol

YR UN PETH yw'r Ffurf Safonol a'r Ffurf Indecs Safonol.
Felly, cofiwch y ddau enw yma yn ogystal â beth yw hyn mewn gwirionedd:

Rhif Cyffredin: 5,200,000 Yn y Ffurf Safonol: 5.2×10^6

Dim ond ar gyfer ysgrifennu rhifau MAWR IAWN neu FACH IAWN mewn ffordd fwy cyfleus y mae'r ffurf safonol yn wir ddefnyddiol, e.e.

byddai 37,000,000,000 yn 3.7×10^{10} yn y ffurf safonol.

byddai 0.000 000 004 16 yn 4.16×10^{-9} yn y ffurf safonol.

Gall UNRHYW RIF gael ei ysgrifennu yn y ffurf safonol. *Dylech wybod sut i wneud hynny:*

Beth yw hyn mewn gwirionedd:

Mae'n rhaid i rif a ysgrifennir yn y ffurf safonol fod ar yr UNION ffurf hon BOB TRO:

$$A \times 10^n$$

Mae'n rhaid i'r *rhif* hwn fod RHWNG 1 A 10 *bob tro*.
(Y ffordd ffansi o ddweud hyn yw: "$1 \leq A < 10$" – weithiau byddan nhw'n ysgrifennu hynny mewn cwestiynau arholiad - peidiwch â phoeni amdano, cofiwch ei ystyr.)

Y rhif hwn yw NIFER Y LLEOEDD *y mae'r Pwynt Degol (P.D.) yn symud*.

Dysgwch y Tair Rheol:

1) **Mae'n rhaid i'r rhif blaen fod RHWNG 1 A 10 bob tro**
2) **Ystyr pŵer 10, *n*, yw: FAINT MAE'R P.D. YN SYMUD**
3) **Bydd *n* yn bositif (+) ar gyfer rhifau MAWR ac yn negatif (–) ar gyfer rhifau BACH.**

(Mae hyn yn well o lawer na rheolau sy'n seiliedig ar ba gyfeiriad y mae'r P.D. yn symud iddo.)

Enghreifftiau:

1) *"Mynegwch 79 800 yn y ffurf safonol."*

DULL:
1) Symudwch y P.D. nes y daw 79 800 yn 7.98 ("$1 \leq A < 10$")
2) Mae'r P.D. wedi symud 4 lle, felly $n = 4$, sy'n rhoi: 10^4
3) Mae 79 800 yn rhif MAWR, felly mae n yn +4, nid –4

ATEB:

7.9 8 0 0. = 7.98×10^4

2) *"Mynegwch 3.51×10^{-3} fel rhif cyffredin."*

DULL:
1) Mae 10^{-3} yn dweud wrthym fod yn rhaid i'r P.D. symud 3 lle...
2) ...ac mae'r arwydd "–" yn dweud wrthym symud y P.D. i'w wneud yn rhif BACH (h.y. 0.00351 yn hytrach na 3510).

ATEB:

3.5 1 = 0.00351

Y Ffurf Indecs Safonol

Y Ffurf Safonol a'r Cyfrifiannell

Fel rheol bydd pobl yn ymdopi'n iawn â symud y pwynt degol *(ar wahân i anghofio ei fod yn "10 i'r pŵer rhywbeth positif" AR GYFER RHIF MAWR ac yn "10 i'r pŵer rhywbeth negatif" AR GYFER RHIF BACH)*. Ond o droi at wneud y ffurf safonol ar *gyfrifiannell*, mae'n aml yn creu dryswch. Dydy hi ddim cynddrwg â hynny - dim ond i chi ddysgu sut i fynd ati....

1) Bwydo Rhifau'r Ffurf Safonol i mewn EXP

I roi rhifau'r ffurf safonol i mewn i'r cyfrifiannell y botwm y mae'n RHAID EI DDEFNYDDIO yw'r botwm EXP (neu EE) - ond PEIDIWCH â phwyso X 10 hefyd, fel y gwna llawer o bobl, am fod hynny'n ei wneud yn ANGHYWIR.

Enghraifft: *"Bwydwch 5.74×10^9 i mewn i'r cyfrifiannell."*

Pwyswch 5.74 EXP 9 ac ar y dangosydd bydd 5.74 ^{09}

Sylwch eich bod yn PWYSO y botwm EXP (neu EE) YN UNIG - PEIDIWCH â phwyso X na 10 o gwbl.

2) Darllen Rhifau'r Ffurf Safonol:

Y peth mawr i'w gofio wrth ysgrifennu unrhyw rif ffurf safonol o ddangosydd y cyfrifiannell yw i roi'r "×10" i mewn eich hun. PEIDIWCH ag ysgrifennu'r hyn a ddangosir ar y dangosydd a dim mwy na hynny.

Enghraifft: *"Ysgrifennwch y rhif* 3.265 ^{06} *fel ateb gorffenedig."*

Fel ateb gorffenedig mae'n rhaid ei ysgrifennu fel 3.265×10^6.

NID YW'N 3.265^6, felly PEIDIWCH â'i ysgrifennu ar y ffurf honno – mae'n rhaid i CHI roi'r $\times 10^n$ i mewn, er nad yw hynny i'w weld ar y dangosydd o gwbl. *Dyna'r darn y bydd pobl yn ei anghofio*.

Y Prawf Hollbwysig:

DYSGWCH y Tair Rheol a Dau Ddull y Cyfrifiannell, yna ysgrifennwch nhw.

Ar ôl cuddio'r 2 dudalen yma atebwch y canlynol:

1) Beth yw'r Tair Rheol ar gyfer y ffurf safonol?
2) Mynegwch 927100 yn y ffurf indecs safonol.
3) A'r un fath ar gyfer 0.00285
4) Mynegwch 7.34×10^4 fel rhif cyffredin.
5) Defnyddiwch eich cyfrifiannell i gyfrifo hyn: $2.8 \times 10^{11} \div 4.2 \times 10^{-8}$, ac ysgrifennwch yr ateb, yn gyntaf yn y ffurf safonol ac yna fel rhif cyffredin.

Pwerau (neu "Indecsau")

Llaw-fer ddefnyddiol iawn yw pwerau:

$6\times6 = 6^2$ ("6 wedi'i sgwario")
$2\times2\times2\times2 = 2^4$ ("Dau i'r pŵer 4")
$9\times9\times9\times9\times9 = 9^5$ ("Naw i'r pŵer 5")
$4\times4\times4 = 4^3$ ("Pedwar wedi'i giwbio")

Mae hynny'n hawdd i'w gofio. Yn anffodus, mae SAITH RHEOL ARBENNIG ar gyfer pwerau nad ydynt yr un mor hawdd, ond *mae angen i chi eu gwybod ar gyfer yr arholiad*:

Y Saith Rheol

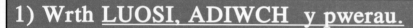

1) Wrth LUOSI, ADIWCH y pwerau.

e.e. $2^3 \times 2^4 = 2^{3+4} = 2^7$ $\quad$ $5^2 \times 5^7 = 5^{2+7} = 5^9$

2) Wrth RANNU, TYNNWCH y pwerau.

e.e. $4^6 \div 4^3 = 4^{6-3} = 4^3$ $\quad$ $10^8/10^3 = 10^{8-3} = 10^5$

3) Wrth GODI un pŵer i bŵer arall, LLUOSWCH y pwerau.

e.e. $(2^2)^4 = 2^{2\times4} = 2^8$, $\quad$ $(5^3)^6 = 5^{18}$

4) $x^1 = x$, UNRHYW RIF I'R PŴER 1 yw'r RHIF EI HUN

e.e. $3^1 = 3$, $\quad$ $2 \times 2^6 = 2^7$, $\quad$ $5^1 = 5$, $\quad$ $8^3 \div 8^2 = 8^{3-2} = 8^1 = 8$

5) $x^0 = 1$, UNRHYW RIF I'R PŴER 0 yw 1

e.e. $4^0 = 1$ $\quad$ $28^0 = 1$ $\quad$ $2^3 \div 2^3 = 2^{3-3} = 2^0 = 1$

6) $1^x = 1$, 1 i UNRHYW BŴER yw 1

e.e. $1^{19} = 1$ $\quad$ $1^{63} = 1$ $\quad$ $1^3 = 1$ $\quad$ $1^{202} = 1$

7) Mae PWERAU FFRACSIYNOL yn golygu un peth : ISRADDAU

Mae'r Pŵer ½ yn golygu *Ail Isradd*, e.e. $25^{\frac{1}{2}} = \sqrt{25} = 5$

Mae'r Pŵer ⅓ yn golygu *Trydydd Isradd*, e.e. $27^{\frac{1}{3}} = \sqrt[3]{27} = 3$

Y Prawf Hollbwysig:

DYSGWCH y Saith Rheol ar gyfer Pwerau. Yna cuddiwch y dudalen ac ysgrifennwch nhw.

Ar ôl cuddio'r dudalen SYMLEIDDIWCH y canlynol:

1) a) $2^5 \times 2^2$; b) $3^3 \div 3^2$; c) $(7^4)^2$; d) $(4^6 \times 4^2 \times 1^7)$; e) $3^0 \times 1^4 \times 6^2$; f) $(6^3\times6^4)/6^0$; g) $8^{10} \div (8 \times 8^3)$.

2) Enrhifwch y rhain: a) $16^{\frac{1}{2}}$; b) $64^{\frac{1}{2}}$; c) $121^{\frac{1}{2}}$; d) $27^{\frac{1}{3}}$; e) $64^{\frac{1}{3}}$; f) $125^{\frac{1}{3}}$.

Ail Israddau a Thrydydd Israddau

Ail Israddau

Ystyr "wedi'i sgwario" yw "wedi'i luosi â'i hun" : $P^2 = P \times P$
— AIL ISRADD yw'r broses wedi'i gwrthdroi.

Dyma'r ffordd orau o feddwl amdano:

Ystyr "Ail Isradd" yw "Pa Rif Wedi'i Luosi â'i Hun sy'n rhoi..."

Enghraifft: "*Darganfyddwch ail isradd 49.*" (h.y. "Darganfyddwch $\sqrt{49}$" neu "Darganfyddwch $49^{\frac{1}{2}}$")
I wneud hyn dylech ei ddweud fel hyn: "*Pa rif WEDI'I LUOSI Â'I HUN sy'n rhoi... 49?*"
Os aethoch ati i ddysgu'r dilyniannau rhifau ar dud. 3 (fel y dylech fod wedi'i wneud), byddwch yn gwybod ar unwaith mai'r ateb yw 7.

Rhaid dweud, FODD BYNNAG, mai'r *ffordd orau i ddarganfod unrhyw ail isradd* yw defnyddio'r BOTWM AIL ISRADD: Pwyswch **49** **√** = 7 (Gweler tud. 17)

Trydydd Israddau

Ystyr "wedi'i giwbio" yw "wedi'i luosi â'i hun deirgwaith" : $T^3 = T \times T \times T$.
— TRYDYDD ISRADD yw'r broses wedi'i gwrthdroi.

Ystyr "Trydydd Isradd" yw "Pa Rif Wedi'i Luosi â'i Hun DEIRGWAITH sy'n rhoi..."

Enghraifft: "*Darganfyddwch drydydd isradd 64.*" (h.y. "Darganfyddwch $\sqrt[3]{64}$" neu "Darganfyddwch $64^{\frac{1}{3}}$")
Dylech ddweud: "*Pa rif WEDI'I LUOSI Â'I HUN DEIRGWAITH sy'n rhoi... 64?*"
Ar ôl dysgu tud. 3 mor fanwl byddwch yn gwybod, wrth gwrs, mai'r ateb yw 4.

FODD BYNNAG, ar gyfer rhai eraill na fyddwch yn eu gwybod, *does dim gwell ffordd* na defnyddio'r BOTWM TRYDYDD ISRADD: Pwyswch **27** **∛** = 3 (Gweler tud. 17)

COFIWCH:

Mae "RHYWBETH I'R PŴER ½" yn ffordd wahanol o ofyn am AIL ISRADD e.e. Mae $81^{\frac{1}{2}}$ yr un fath â $\sqrt{81}$ sef 9.

Mae "RHYWBETH I'R PŴER ⅓" yn ffordd wahanol o ofyn am DRYDYDD ISRADD e.e. Mae $27^{\frac{1}{3}}$ yr un fath â $\sqrt[3]{27}$ sef 3.

Y Prawf Hollbwysig:

DYSGWCH y 2 osodiad yn y bocsys tywyll, y ffordd orau o ddarganfod israddau ac ystyr pwerau ffracsiynol.

Yn awr cuddiwch y dudalen ac ysgrifennwch bopeth rydych wedi'i ddysgu.
1) Defnyddiwch eich cyfrifiannell i ddarganfod a) $65^{\frac{1}{2}}$ b) $324^{\frac{1}{3}}$ c) $\sqrt{150}$ d) $\sqrt[3]{888}$.
2) a) $y^2 = 25$, beth yw y? b) $t^3 = 125$, beth yw t? c) $10 \times x^3 = 80$, beth yw x?

Crynodeb Adolygu ar gyfer Adran 1

Efallai y bydd y cwestiynau hyn yn ymddangos yn anodd, ond *dyma'r adolygu gorau y gallwch ei wneud*. Cofiwch mai diben adolygu yw gweld beth nad ydych yn ei wybod ac yna ei ddysgu nes y byddwch yn ei wybod. Bydd y cwestiynau hyn yn ffordd dda o brofi faint a wyddoch. Maen nhw'n dilyn trefn y tudalennau yn Adran 1, felly bydd hi'n hawdd troi at y tudalennau perthnasol os na wyddoch rywbeth.

Daliwch ati i ddysgu'r ffeithiau sylfaenol hyn nes y byddwch yn eu gwybod.

1) Beth yw lluosrifau rhif? Beth yw ffactorau rhif?
2) Beth yw'r dull gorau o ddarganfod holl ffactorau rhif?
3) Beth yw ffactorau cysefin rhif? Sut y byddwch yn eu darganfod?
4) Nodwch y ddwy reol ar gyfer darganfod rhifau cysefin (islaw 120).
5) Rhestrwch y deg term cyntaf ym mhob un o'r dilyniannau hyn:
   a) Odrifau b) Eilrifau c) Rhifau cysefin
   d) Rhifau sgwâr e) Rhifau ciwb f) Rhifau triongl
6) Rhestrwch y chwe ffracsiwn cywerth cyntaf ar gyfer un rhan o bump.
7) Beth mae Ff.D.C. yn ei ddynodi? Rhowch fanylion llawn am y pedwar dull trawsnewid.
8) Beth yw'r 3 cham ar gyfer talgrynnu?
9) Beth yw'r tri manylyn ychwanegol ynglŷn â thalgrynnu ffigurau ystyrlon?
10) Nodwch dair rheol ar gyfer penderfynu ar fanwl gywirdeb priodol.
11) Nodwch ddwy reol ar gyfer amcangyfrif yr ateb i gyfrifiad.
12) Nodwch ddwy reol ar gyfer amcangyfrif arwynebedd neu gyfaint.
13) Nodwch 3 cham y dull ar gyfer defnyddio ffactorau trawsnewid.
14) Rhowch 7 trawsnewidiad gwahanol o un uned fetrig i un arall.
15) Rhowch 5 trawsnewidiad gwahanol o un uned imperial i un arall.
16) Rhowch 8 trawsnewidiad rhwng unedau metrig ac imperial.
17) Beth yw ystyr a/b?
18) Disgrifiwch mewn geiriau y 4 rheol ar gyfer gwneud ffracsiynau trwy waith llaw.
19) Beth yw'r botwm ffracsiwn? Beth sy'n rhaid i chi ei bwyso i fwydo $5\frac{1}{4}$ i mewn?
20) Sut y byddech yn ei drawsnewid yn ffracsiwn pendrwm?
21) Disgrifiwch y 3 math o gwestiwn canrannau a sut i'w hadnabod?
22) Rhowch fanylion y dull ar gyfer pob un o'r 3 math.
23) Rhowch y fformiwla ar gyfer newid canrannol, a rhowch 3 enghraifft o hyn.
24) Eglurwch y gwahaniaeth rhwng y ddau fotwm diddymu ar eich cyfrifiannell.
25) Beth yw'r "botymau hunanddiddymu"? Pam y defnyddir y term hwn amdanynt?
26) Pa rai yw'r botymau cof? Ar gyfer beth y cânt eu defnyddio?
27) Beth mae CORLAT yn ei ddynodi a beth yw'r cysylltiad rhwng hyn â'ch cyfrifiannell?
28) Pryd fyddech chi'n defnyddio'r botymau cromfachau?
29) Pa un yw'r botwm pwerau? Beth sy'n rhaid i chi ei bwyso i ddarganfod 7^{12}?
30) Pa un yw'r botwm Ffurf Safonol? Beth sy'n rhaid i chi ei bwyso i fwydo 2×10^{-6} i mewn?
31) Beth fyddai ar ddangosydd y cyfrifiannell ar gyfer y rhif 8×10^{4}?
32) Sut y gall cyfrifiannell helpu i symleiddio cymarebau?
33) Beth yw'r triongl fformiwla ar gyfer cymarebau?
34) Beth yw'r tair rheol ar gyfer mynegi rhif yn y ffurf safonol?
35) Beth yw'r saith rheol ar gyfer pwerau?
36) Eglurwch beth yw ail isradd. Eglurwch beth yw trydydd isradd.

Troi Geiriau'n Algebra

Algebra yw problem fathemategol sydd wedi'i hysgrifennu mewn *brawddeg* yn cael ei throsi'n *hafaliad neu'n fformiwla*. Gall ymddangos yn anodd ar y cychwyn, ond *nid yw'n rhy wael mewn gwirionedd* – wedi i chi ddysgu sut i'w wneud.

Enghraifft 1: *"Mae rhif yn cael ei ddyblu, yna caiff tri ei ychwanegu at y cyfanswm, a'r canlyniad yw pymtheg. Beth oedd y rhif gwreiddiol?"*

Mae angen troi'r frawddeg hon yn hafaliad, sef yr hafaliad canlynol:

"**Datryswch $2x + 3 = 15$**"

Chi sy'n gorfod trosi:

O'R GYMRAEG		I ALGEBRA
Rhif	——	x
ei ddyblu	——	$2x$
yna ychwanegu tri	——	$2x + 3$
y canlyniad yw 15	——	$2x + 3 = 15$

A dyna chi.Yr hyn i'w wneud yw ystyried pob darn o'r *frawddeg* a'i *drosi* yn ddarn o *fathemateg*. Gwnewch hyn ddarn wrth ddarn ac yna fe gewch hafaliad y gallwch ei ddatrys. Yr ateb i'r uchod yw 6. $(2\times6 + 3 = 15)$

Enghraifft 2: "Mae grŵp o bedwar gweithiwr yn cael eu talu £15 yr awr ynghyd â childwrn o £6. Ar ôl rhannu'r holl arian gawson nhw cafodd pob un £9. Sawl awr fuon nhw'n gweithio?"

Talwyd £15 yr awr, ynghyd â childwrn o £6, i grŵp o bedwar gweithiwr. Rhannwyd yr arian a chafodd pob un £9.

$$\frac{15x+6}{4} = 9$$

Sawl awr fuon nhw'n gweithio?

Y cwbl sydd angen ei wneud yn awr yw *datrys yr hafaliad*. Yr ateb: x = *2 awr*.

Cymerwch ofal wrth drosi "LLAI".

Ystyr "tri yn llai na rhif" yw "rhif minws tri" → $x - 3$ NID $3 - x$

Y Prawf Hollbwysig: DYSGWCH y dudalen hon nes y gallwch drosi pob enghraifft a roddir gyda'r atebion wedi'u cuddio.

Algebra Sylfaenol

1) Termau

Cyn gwneud dim byd arall, mae'n RHAID i chi ddeall beth yw ystyr TERM:

1) TERM YW CASGLIAD O RIFAU, LLYTHRENNAU A CHROMFACHAU, A'R CWBL WEDI'U LLUOSI/RHANNU Â'I GILYDD.

2) Caiff TERMAU eu GWAHANU gan ARWYDDION + neu – e.e. $5x^2 - 2dy - 3x + 6$

3) Mae gan DERMAU bob amser naill ai + neu – O'U BLAENAU.

4) e.e. $8x^2 + 2xy - 6y + 7y^2 + 2$

Arwydd + anweledig → $8x^2$; term "x^2" → $8x^2$; term "xy" → $+2xy$; term "y" → $-6y$; term "y^2" → $+7y^2$; term "rhif" → $+2$

2) Symleiddio

"Casglu Termau Tebyg"

ENGHRAIFFT: "Symleiddiwch $2x^2 - 5x + 7x^2 + 6x - 3$"

$$2x^2 - 5x + 7x^2 + 6x - 3 = 2x^2 + 7x^2 - 5x + 6x - 3$$

termau x^2 termau x term rhif = $9x^2$ $+x$ -3 = $9x^2 + x - 3$

1) Rhowch swigen am bob term – gwnewch yn siŵr eich bod yn *cadw'r arwydd +/– sydd O FLAEN pob term*.
2) Yna gallwch *symud y swigod i'r drefn orau* fel y bydd *TERMAU TEBYG gyda'i gilydd*.
3) Mae gan "DERMAU TEBYG" yr un cyfuniad o lythrennau, e.e. "termau x" neu "dermau xy".
4) Cyfunwch y TERMAU TEBYG gan ddefnyddio'r LLINELL RIF (nid y rheol arall ar gyfer rhifau negatif).

3) Lluosi Cromfachau

1) Mae'r hyn sydd y TU ALLAN i'r cromfachau yn lluosi pob term gwahanol sydd y TU MEWN i'r cromfachau.
2) Pan gaiff llythrennau eu lluosi â'i gilydd, cânt eu hysgrifennu nesaf at ei gilydd, pq.
3) Cofiwch fod R x R = R^2, a bod TY^2 yn golygu T×Y×Y, tra bo $(TY)^2$ yn golygu T×T×Y×Y.
4) Cofiwch fod minws y tu allan i'r cromfachau YN GWRTHDROI'R HOLL ARWYDDION pan fyddwch yn lluosi.

Enghreifftiau:

1) $2(4x + 6) = 8x + 12$

2) $3q(5r - 4q) = 15qr - 12q^2$

3) $-5(2a - 3b) = -10a + 15b$ (sylwch fod arwydd term a ac arwydd term b wedi'u *gwrthdroi* - Rheol 4)

Algebra Sylfaenol

4) Ehangu a Symleiddio

a) Gyda CHROMFACHAU DWBL

– cewch 4 term ar ôl y lluosi ac fel rheol bydd 2 ohonynt yn cyfuno i adael 3 therm, fel hyn:

$$(2A - 5)(3A + 1) = (2A \times 3A) + (2A \times 1) + (-5 \times 3A) + (-5 \times 1)$$
$$= 6A^2 + 2A - 15A - 5$$
$$= 6A^2 - 13A - 5$$

(mae'r 2 yma'n cyfuno)

b) SGWARIO CROMFACHAU:

e.e. $(5t + 3)^2$ Ysgrifennwch y rhain BOB AMSER fel dwy set o gromfachau: $(5t + 3)(5t + 3)$ ac yna cyfrifo'n OFALUS fel hyn:

$$(5t + 3)(5t + 3) = 25t^2 + 15t + 15t + 9 = 25t^2 + 30t + 9$$

DYLECH BOB AMSER GAEL *PEDWAR* TERM drwy sgwario cromfachau, a bydd *dau o'r rhain* yn cyfuno fel rheol i adael TRI THERM, fel y dangosir uchod. *(Gweler hefyd tud. 52)*

(Gyda llaw, yr ATEB ANGHYWIR arferol yw $(5t + 3)^2 = 25t^2 + 9$ – Cymerwch ofal!)

5) Ffactorio

– rhoi cromfachau i mewn

Dyma *wrthdroi'r* broses o luosi cromfachau. Dyma'r dull i'w ddilyn:

1) Ysgrifennwch y RHIF mwyaf y gellir rhannu'r holl dermau ag ef.
2) Ystyriwch bob llythyren yn ei thro ac ysgrifennwch y pŵer mwyaf (e.e. x, x^2 etc.) sy'n gyffredin i BOB term.
3) Agorwch gromfachau a rhowch ynddynt bopeth sydd ei angen i atgynhyrchu pob term.

ENGHRAIFFT: Ffactoriwch $6x^4y + 8x^2y^3z - 12x^3yz^2$

Ateb: $2x^2y(3x^2 + 4y^2z - 6xz^2)$

Y rhif mwyaf y gellir rhannu 6, 8 a 12 ag ef

Pwerau mwyaf x ac y sy'n gyffredin i'r 3 therm

Doedd z ddim ym MHOB term ac felly ni allai gael ei thynnu allan fel ffactor cyffredin

COFIWCH:

1) Y darnau a dynnwyd allan a'u rhoi ar y blaen yw'r *FFACTORAU CYFFREDIN*.
2) Y darnau y tu mewn i'r cromfachau yw'r hyn sydd ei angen i gael y termau gwreiddiol pe bai rhywun yn lluosi'r cromfachau eto.

Y Prawf Hollbwysig:

DYSGWCH y manylion pwysig ar gyfer y 5 rhan ar y 2 dudalen hyn, cuddiwch y tudalennau a'u hysgrifennu.

Yna atebwch y canlynol:

1) Symleiddiwch: a) $-4x + 2y - 2 - y + x$ b) $8w + 6k - 5w - 12k^2 + 8$
2) Ehangwch: a) $2ab(4a - 3b^2)$ b) $(2f+3)(5f-4)$ c) $(1 - 2x)^2$
3) Ffactoriwch: a) $12q^2r^3 - 24q^2r + 30q^3r^4$ b) $6x^3y^2 - 3x^2y + 12xy^3z$

Patrymau Rhif

Mae hwn yn bwnc hawdd, ond gwnewch yn siŵr eich bod yn gwybod Y CHWE math o ddilyniant, nid y rhai cyntaf yn unig. Y *gyfrinach fawr* yw *ysgrifennu'r gwahaniaethau yn y bylchau* rhwng pob pâr o rifau. Fel rheol, trwy wneud hynny gallwch weld yr hyn sy'n digwydd beth bynnag yw'r dilyniant.

1) "Gwahaniaeth Cyffredin" - hawdd iawn

e.e. 4 7 10 13 16 ... (+3 +3 +3 +3 +3) 532 537 542 547 552 ... (+5 +5 +5 +5 +5)

2) "Gwahaniaeth Cynyddol"

Yma mae'r gwahaniaeth yn cynyddu yr un faint bob tro:

e.e. 3 5 8 12 17 23 ... (+2 +3 +4 +5 +6 +7)

3) "Gwahaniaeth Lleihaol"

Yma mae'r gwahaniaeth yn lleihau yr un faint bob tro:

e.e. 76 66 57 49 42 36 ... (-10 -9 -8 -7 -6 -5)

4) "Ffactor Lluosi"

Yn y math hwn mae LLUOSYDD cyffredin sy'n cysylltu pob pâr o rifau.

e.e. 3 6 12 24 48 ... (×2 ×2 ×2 ×2 ×2)

5) "Ffactor Rhannu"

Yn y math hwn mae RHANNYDD cyffredin sy'n cysylltu pob pâr o rifau.

e.e. 625 125 25 5 ... (÷5 ÷5 ÷5 ÷5)

6) "Adio Termau Blaenorol"

Adio'r *ddau derm cyntaf* i gael y *3ydd*, yna adio'r *2il a'r 3ydd* i gael y *4ydd*, etc.

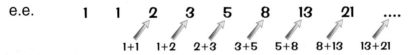

e.e. 1 1 2 3 5 8 13 21 .... (1+1 1+2 2+3 3+5 5+8 8+13 13+21)

Y Prawf Hollbwysig:

Dysgwch y 6 math o batrymau rhif. Yna cuddiwch y dudalen ac atebwch y rhain:

1) ODDI AR EICH COF ysgrifennwch enw pob math o ddilyniant rhif a rhowch enghraifft o bob un.
2) Darganfyddwch y ddau derm nesaf yn y dilyniannau hyn:
   a) 2,10,50,250... b) 440,220,110.... c) 2,3,5,8,12... d) 10,11,13...

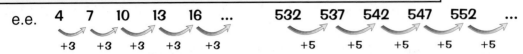

Darganfod yr nfed Term

Fformiwla sy'n cynnwys "n" ac sy'n rhoi pob term mewn dilyniant pan fyddwch yn rhoi gwahanol werthoedd n ynddi yw'r "$n$fed term". Mae dau fath gwahanol o ddilyniant (ar gyfer cwestiynau "$n$fed term") ac mae'n rhaid eu trin mewn ffyrdd gwahanol:

Gwahaniaeth Cyffredin: "gn + (a - g)"

Ar gyfer unrhyw ddilyniant megis 3, 7, 11, 15, lle mae GWAHANIAETH CYFFREDIN:
4 4 4

gallwch ddarganfod "yr $n$fed term" bob amser drwy ddefnyddio'r FFORMIWLA:

$n$fed Term $= gn + (a - g)$

Cofiwch:

1) "a" yw gwerth Y TERM CYNTAF yn y dilyniant.
2) "g" yw gwerth Y GWAHANIAETH CYFFREDIN rhwng y termau.
3) I gael yr nfed term, mae'n rhaid cael y gwerthoedd "a" a "g" o'r dilyniant a'u rhoi yn y fformiwla.
   Peidiwch byth â newid yr "n" fodd bynnag.
4) Wrth gwrs, MAE'N RHAID I CHI DDYSGU'R FFORMIWLA.

Enghraifft: *"Darganfyddwch nfed term y dilyniant hwn: 5, 7, 9, 11, ..."*

ATEB: 1) Y fformiwla yw $gn + (a - g)$
2) Y term cyntaf yw 5, felly $a = 5$ Y gwahaniaeth cyffredin yw 2, felly $g = 2$
3) Mae gosod y rhain yn y fformiwla yn rhoi: $n$fed term $= 2n + (5 - 2)$
felly yr $n$fed term $= 2n + 3$

Gwahaniaeth sy'n Newid:

$$\text{“}a + (n-1)g + \tfrac{1}{2}(n-1)(n-2)C\text{”}$$

Os ydy'r dilyniant rhif yn un lle mae'r *gwahaniaeth* rhwng y termau yn *cynyddu neu'n lleihau*, mae pethau'n mynd yn fwy cymhleth (fel y gwelwch yn y fformiwla uchod – fformiwla y bydd yn rhaid i chi ei *dysgu*!). Y tro hwn mae angen rhoi gwerthoedd *TAIR* llythyren:

"a" yw'r TERM CYNTAF,
"g" yw'r GWAHANIAETH CYNTAF (rhwng y ddau rif cyntaf),
"C" yw'r NEWID RHWNG UN GWAHANIAETH A'R NESAF.

Enghraifft: *"Darganfyddwch nfed term y dilyniant hwn 2, 4, 7, 11, ..."*
2 3 4

ATEB: 1) Y fformiwla yw "$a + (n-1)g + \tfrac{1}{2}(n-1)(n-2)C$"
2) Y term cyntaf yw 2, felly $a = 2$ Y gwahaniaeth cyntaf yw 2, felly $g = 2$
3) Mae'r gwahaniaethau'n cynyddu 1 bob tro, felly $C = +1$
Mae gosod y rhain yn y fformiwla yn rhoi: "$2 + (n-1)2 + \tfrac{1}{2}(n-1)(n-2)\times 1$"
sef: $2 + 2n - 2 + \tfrac{1}{2}n^2 - 1\tfrac{1}{2}n + 1$
A gellir symleiddio hyn yn: $\tfrac{1}{2}n^2 + \tfrac{1}{2}n + 1$
felly yr $n$fed term $= \tfrac{1}{2}n^2 + \tfrac{1}{2}n + 1$

Y Prawf Hollbwysig:

DYSGWCH ddiffiniad yr $n$fed term a'r 4 cam ar gyfer ei ddarganfod, a DYSGWCH Y FFORMIWLÂU.

1) Darganfyddwch $n$fed term y dilyniannau canlynol:
a) 5, 8, 11, 14,.... b) -3, -13, -23,.... c) 1, 3, 6, 10, 15,.... d) 5, 6, 9, 14,...

Rhifau Negatif a Llythrennau

Mae pawb yn gwybod RHEOL 1, ond weithiau RHEOL 2 sy'n berthnasol, felly gwnewch yn siŵr eich bod yn gwybod Y DDWY reol A phryd i'w defnyddio.

Rheol 1

Mae	+	+	yn rhoi	+
Mae	+	−	yn rhoi	−
Mae	−	+	yn rhoi	−
Mae	−	−	yn rhoi	+

I'w defnyddio dim ond:

1) Wrth luosi neu rannu

e.e. $-1 \times 6 = -6$, $-6 \div -3 = +2$ $-2y \times -2 = +4y$

2) Pan fydd dau arwydd ochr yn ochr

e.e. $8 - {}^{-}7 = 8+7 = 15$ $3 + {}^{-}4 - {}^{-}6 = 3 - 4 + 6 = 5$

Rheol 2

Y LLINELL RIF

Defnyddiwch hon wrth ADIO NEU DYNNU:

e.e. *"Symleiddiwch 7x - 11x - 2x + 4x"*

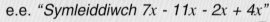

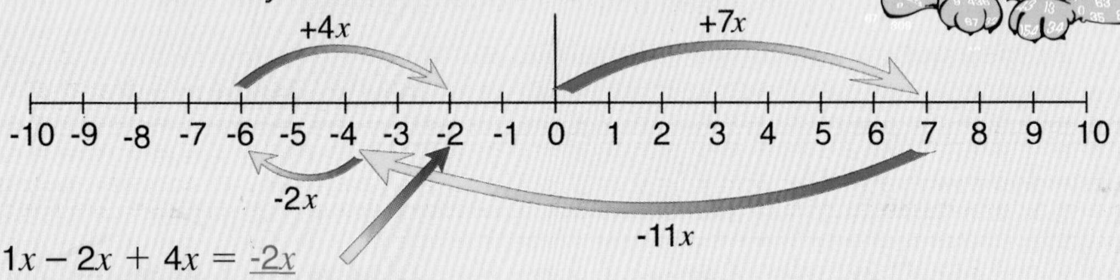

Felly $7x - 11x - 2x + 4x = -2x$

Lluosi Llythrennau

Dyma'r nodiant a ddefnyddir mewn algebra. Mae'n rhaid i chi gofio'r pum rheol hyn:

1) "abc" yw "$a \times b \times c$" — Yn aml caiff yr arwydd × ei adael allan i wneud pethau'n fwy eglur.

2) "pq^2" yw "$p \times q \times q$" — Sylwch mai q yn unig sy'n cael ei sgwario, nid p hefyd

3) "$(pq)^2$" yw "$p \times p \times q \times q$" — Mae'r cromfachau'n golygu bod y DDWY lythyren yn cael eu sgwario.

4) "$p(q - r)^3$" yw "$p \times (q - r) \times (q - r) \times (q - r)$" — Dim ond cynnwys y cromfachau sy'n cael ei giwbio.

5) Mae "-2^2" yn rhy amwys. — Dylid ei ysgrifennu fel $(-2)^2 = 4$, neu $-(2^2) = -4$.

Y Prawf Hollbwysig:

DYSGWCH y Ddwy Reol ar gyfer rhifau negatif a'r achosion lle defnyddir y naill a'r llall a'r 5 achos arbennig o luosi llythrennau.

Yna cuddiwch y dudalen ac ysgrifennwch yr hyn rydych wedi'i ddysgu.

1) Ar gyfer a) hyd at d), penderfynwch ble y dylid defnyddio Rheol 1 a Rheol 2, ac yna cyfrifwch yr atebion.

a) -7×-2; b) $-2 + {}^{-}3 + 1$; c) $(2x + {}^{-}3x - 5x) \div (3 + {}^{-}9)$; d) $10 \div {}^{-}2$.

2) Os yw $x=3$ ac $y=-2$, cyfrifwch: a) xy^2; b) $(xy)^3$; c) $x(2+y)^2$; d) $x^3+y^2+2x^2y^3$.

Rhoi Gwerthoedd mewn Fformiwlâu

Mae hyn lawer yn haws nag y mae'n ymddangos

$$C = \frac{5}{9}(F - 32)$$

Yn gyffredinol, mae algebra yn bwnc eithaf dyrys, ond mae rhannau ohono yn hawdd IAWN, ac yn sicr dyma'r darn hawsaf, felly peidiwch â cholli marciau yma.

Dull

Os na fyddwch yn dilyn y DULL PENODOL hwn, byddwch yn dal i wneud camgymeriadau.

1) Ysgrifennwch y fformiwla e.e $C = \frac{5}{9}(F - 32)$

2) Ysgrifennwch hi eto, yn union oddi tano, ond gan roi rhifau yn lle llythrennau ar yr OCHR DDE. $C = \frac{5}{9}(80 - 32)$

3) Gweithiwch FESUL CAM. $C = \frac{5}{9}(48)$

Defnyddiwch CORLAT i gyfrifo YN Y DREFN GYWIR. $= 240 \div 9$

YSGRIFENNWCH werth pob rhan wrth fynd ymlaen. $C = 26.7°$

4) PEIDIWCH â cheisio gwneud popeth ar unwaith ar eich cyfrifiannell. Byddwch yn sicr o fethu o leiaf hanner yr amser!

CORLAT

Cromfachau, O (flaen), Rhannu, Lluosi, Adio, Tynnu

Mae CORLAT yn dangos ym mha drefn y dylid cyfrifo pethau: Cyfrifwch y cromfachau yn gyntaf, yna sgwario etc., yna lluosi / rhannu grwpiau o rifau cyn adio neu dynnu. Mae'r set hon o reolau yn gweithio'n hynod o dda mewn achosion syml, felly cofiwch y gair: CORLAT. (Gweler tud. 18)

Enghraifft

Rhoddir gwerth Q gan: $Q = (R - 5)^2 + 7T/W$
Darganfyddwch werth Q pan yw R = 8, T = 3 ac W = -7.

ATEB:

1) Ysgrifennwch y fformiwla: $Q = (R - 5)^2 + 7T/W$

2) Rhowch y rhifau i mewn: $Q = (8 - 5)^2 + 7\times3/-7$

3) Yna gweithiwch fesul cam: $= (3)^2 + 21/-7$

$= 9 + -3$

$= 9 - 3 = 6$

Sylwch sut mae CORLAT yn gweithio:

Cromfachau yn gyntaf, yna *sgwario*. Yna *lluosi* a *rhannu* ac i orffen *adio* a *thynnu*.

Y Prawf Hollbwysig:

DYSGWCH 4 Cam y Dull Amnewid ac ystyr CORLAT. Yna cuddiwch y dudalen ...

... ac ysgrifennwch y cyfan oddi ar eich cof. 1) Ewch ati i ymarfer yr enghraifft uchod nes y gallwch ei gwneud yn hawdd heb gymorth. 2) Os yw $C = \frac{5}{9}(F - 32)$, darganfyddwch werth C pan yw F = 68.

Y Ffordd Hawdd o Ddatrys Hafaliadau

Mae'r ffordd "gywir" o ddatrys hafaliadau yn cael ei dangos ar dud. 37. Yn ymarferol, gall y ffordd "gywir" fod yn eithaf anodd, felly mae cryn dipyn i'w ddweud o blaid y dulliau a ddangosir isod sy'n llawer haws.
Yr anfantais gyda'r rhain yw na allwch eu defnyddio bob amser wrth ddelio â hafaliadau cymhleth iawn. Ond yn y rhan fwyaf o gwestiynau arholiad maen nhw'n gwneud y tro'n iawn.

1) Y DULL "SYNNWYR CYFFREDIN"

Y gamp yma yw sylweddoli mai dim ond rhif anhysbys yw "x" ac mai dim ond cliw cryptig i'ch helpu i'w ddarganfod yw'r "hafaliad".

Enghraifft: *"Datryswch yr hafaliad hwn: $2x + 3 = 27$"*
(h.y. darganfyddwch pa rif yw x)

Ateb: *Dyma ddylech chi ei ddweud wrthych eich hun:*

"Mae rhywbeth + 3 = 27". Felly mae'n rhaid mai'r "rhywbeth" hwn yw 24.

Mae hyn yn golygu bod $2x = 24$, sy'n golygu bod "2 wedi'i luosi â rhywbeth = 24"

Felly mae'n rhaid iddo fod yn 24 ÷ 2 sy'n 12. Felly $x = 12$"

Hynny yw, peidiwch â meddwl am y peth yn nhermau algebra, ond yn nhermau "Darganfod y rhif anhysbys".

2) Y DULL "CYNNIG A GWELLA"

Mae'r dull hwn yn gwbl dderbyniol, ac er na fydd yn gweithio bob amser, mae'n gweithio fel arfer, yn enwedig os yw'r ateb yn rhif cyfan.

Cyfrinach fawr y dull cynnig a gwella yw darganfod *DAU WERTH* sy'n arwain at GANLYNIADAU CROES I'W GILYDD ac yna cynnig gwerthoedd RHWNG Y RHAIN. Hynny yw, darganfod rhif sy'n gwneud OCHR DDE yr hafaliad yn rhy fawr, ac yna darganfod rhif sy'n gwneud yr OCHR CHWITH yn rhy fawr. Wedyn cynnig gwerthoedd rhyngddynt. (Gweler tud. 35)

Enghraifft: *"Datryswch yr hafaliad: $4x + 2 = 20 - 5x$"*
(h.y. darganfyddwch y rhif x)

Ateb:

Cynigiwch $x = 1$: $4 + 2 = 20 - 5$, $6 = 15$ — anghywir, OCHR DDE yn rhy fawr

Cynigiwch $x = 3$: $12 + 2 = 20 - 15$, $14 = 5$ — anghywir, OCHR CHWITH yn rhy fawr

CYNIGIWCH WERTH RHYNGDDYNT:
$x = 2$: $8 + 2 = 20 - 10$, $10 = 10$, CYWIR, felly $x = 2$.

Y Prawf Hollbwysig: **DYSGWCH y ddau ddull hyn nes y gallwch guddio'r dudalen a'u hysgrifennu gan roi enghraifft o bob un.**

1) Datryswch: $3x - 8 = 25$ 2) Datryswch: $2x + 4 = 6x - 4$

Cynnig a Gwella

Mewn egwyddor, mae hon yn ffordd hawdd o ddarganfod atebion bras i hafaliadau eithaf cymhleth, yn enwedig rhai "ciwbig" (rhai sy'n cynnwys x^3). OND ... mae'n rhaid i chi wneud ymdrech i DDYSGU MANYLION y dull hwn, neu wnewch chi byth ei ddeall.

Dull

1) **RHOWCH DDAU WERTH CYCHWYNNOL yn yr hafaliad sy'n rhoi CANLYNIADAU CROES I'W GILYDD.** Fel rheol mae'r ddau werth cychwynnol yn cael eu hawgrymu yn y cwestiwn. Os nad ydynt, bydd yn rhaid i chi feddwl am rai eich hun. Ystyr canlyniadau croes i'w gilydd yw un ateb sy'n rhy fawr ac un ateb sy'n rhy fach neu un ateb positif ac un ateb negatif, er enghraifft. Os nad ydynt yn ganlyniadau croes, rhowch gynnig arall arni.

2) **Yn awr DEWISWCH Y GWERTH NESAF RHWNG Y DDAU WERTH CYCHWYNNOL, a RHOWCH hwnnw yn yr hafaliad.** Daliwch ati i wneud hyn, gan ddewis gwerth newydd bob tro rhwng y ddau werth sy'n rhoi'r canlyniadau croes agosaf (ac os yw'n bosibl yn nes at y gwerth sydd agosaf at yr ateb rydych ei angen).

3) **AR ÔL 3 NEU 4 CAM YN UNIG dylech gael 2 rif sydd i'r radd gywir o gywirdeb ond sy'n GWAHANIAETHU o 1 YN Y DIGID OLAF.** Er enghraifft, pe bai'n rhaid i chi roi eich ateb i 2 le degol, yna yn y diwedd byddech yn gorffen gyda 7.45 a 7.46, dyweder, a byddai'r rhain yn rhoi canlyniadau CROES wrth gwrs.

4) **Yn awr rydych BOB AMSER yn cymryd yr Union Werth Canol i benderfynu pa un yw'r gwerth sydd ei angen.** e.e. yn achos 7.45 a 7.46 byddech yn cynnig 7.455 er mwyn gweld a yw'r gwerth cywir rhwng 7.45 a 7.455 neu rhwng 7.455 a 7.46 (gweler isod).

Enghraifft

"Mae datrysiad yr hafaliad $x^3 + x = 16$ rhwng 2 a 2.5. Darganfyddwch y datrysiad hwn i 1 Ll.D."

Cynigiwch $x = 2$ $\quad 2^3 + 2 = 10$ (Canlyniad rhy fach) ← (2 ganlyniad croes)
Cynigiwch $x = 2.5$ $\quad 2.5^3 + 2.5 = 18.125$ (Canlyniad rhy fawr)

Y canlyniad sydd ei angen yw 16, sy'n agosach at 18.125 nag at 10, felly dewiswch werth arall x sy'n agosach at 2.5 nag at 2.

Cynigiwch $x = 2.3$ $\quad 2.3^3 + 2.3 = 14.467$ (Canlyniad rhy fach)

Bron yn iawn, ond rhaid gweld a yw 2.4 yn rhoi canlyniad rhy fawr neu rhy fach:

Cynigiwch $x = 2.4$ $\quad 2.4^3 + 2.4 = 16.224$ (Canlyniad rhy fawr)

Yn awr gwyddom fod yn rhaid i'r ateb fod rhwng 2.3 a 2.4. I ddarganfod pa un o'r rhain yw'r agosaf, rhaid cynnig yr UNION WERTH CANOL: 2.35

Cynigiwch $x = 2.35$ $\quad 2.35^3 + 2.35 = 15.328$ (Canlyniad rhy fach)

Mae hyn yn dangos yn sicr bod y datrysiad rhwng 2.35 (rhy fach) a 2.4 (rhy fawr), ac felly i 1 Ll.D. rhaid talgrynnu i fyny i 2.4. ATEB = 2.4

Y Prawf Hollbwysig:

DYSGWCH y gwaith, yna CUDDIWCH y dudalen a gweld faint ohono y gallwch ei gofio. Mae'n bwysig eich bod yn cofio'r gwaith.

Er mwyn llwyddo â'r dull hwn mae'n rhaid DYSGU y 4 cam uchod. Gwnewch hynny'n awr a daliwch ati i ymarfer nes y gallwch eu hysgrifennu heb droi yn ôl at y nodiadau. Dydy e ddim mor anodd ag y mae'n ymddangos.

1) Mae datrysiad yr hafaliad $x^3 - x = 3$ rhwng 1 a 2. Darganfyddwch hwn i 1 Ll.D.

Y Dull Cydbwyso ar gyfer Hafaliadau

Neu, *"Sut i dynnu'r papur lapio oddi am eich x"* ...

Rhaid Cymryd o Ddifrif yr Arwydd "="

Pan welwch yr arwydd "=" rhaid i chi sylweddoli beth mae'n ei olygu:

Bod yr hyn sydd ar un ochr yn union hafal i'r hyn sydd ar yr ochr arall - pa mor wahanol bynnag maen nhw'n ymddangos.

O ganlyniad gallwch wneud beth bynnag a ddymunwch i un ochr - ond cofiwch wneud yr union un peth i'r ochr arall. Mae hynny'n wirioneddol bwysig, felly peidiwch â'i anghofio.

Unrhyw Beth wedi'i Rannu â'i Hun = 1

Dylech wybod beth sy'n digwydd mewn gwirionedd pan fyddwch, er enghraifft, yn newid yr hafaliad

$5x = 18$ yn $x = \frac{18}{5}$

Y tric mawr yma yw cofio bod:

$$\frac{\text{UNRHYW BETH}}{\text{EI HUN}} = 1$$

ENGHRAIFFT: Datryswch yr hafaliad $5x = 18$.
ATEB: Yn gyntaf dylech rannu â 5 ar y ddwy ochr fel hyn:

$$\frac{5x}{5} = \frac{18}{5}$$

(Gwnewch hyn bob amser: rhannu'r ddwy ochr â'r hyn y mae x wedi'i luosi ag ef - yn yr achos hwn, 5.)

Yr hyn sy'n wirioneddol bwysig i'w ddeall yw hyn:

$$\frac{5x}{5} = \left(\frac{5}{5}\right)x = 1x = x$$

Ac felly cawn hyn: $x = \frac{18}{5} = 3.6$

Pilio'r Termau + a −

$$2x - y = 7$$
$$2x \underbrace{- y + y}_{\text{sero}} = 7 + y$$
$$2x = 7 + y$$
$$x = \frac{7+y}{2}$$

Cymharwch yr enghreifftiau hyn o "cyn" ac "wedyn" ac fe welwch y rheswm pam mae'r rheol "newidiwch yr arwydd wrth groesi o'r naill ochr i'r = i'r llall" yn gweithio.

$$2x + y = 7$$
$$2x \underbrace{+ y - y}_{\text{sero}} = 7 - y$$
$$2x = 7 - y$$
$$x = \frac{7-y}{2}$$

Y Prawf Hollbwysig:

DYSGWCH y 3 ADRAN ar y dudalen hon. Yna cuddiwch y dudalen ac ysgrifennwch bopeth rydych wedi'i ddysgu.

Mae'r esboniadau "cywir" ar y dudalen hon, yn enwedig ar gyfer y rhai hynny yn eich plith sydd am wybod y rhesymau dros bethau. I sicrhau eich bod yn deall hyn yn iawn, gwnewch y cwestiwn hwn:

1) Ysgrifennwch holl gamau'r datrysiad ar gyfer $5(3x - 2) = 35$. Defnyddiwch liwiau fel y gwelir yn yr enghraifft uchod.

Datrys Hafaliadau

Ystyr Datrys Hafaliadau yw darganfod gwerth x o rywbeth fel hyn: $6x + 7 = 1 - 4x$.
Yr un dull yn union a ddefnyddir wrth ddatrys hafaliadau ac wrth ad-drefnu fformiwlâu, fel y dangosir ar y ddwy dudalen hyn.

1) YR UN DULL A DDEFNYDDIR GYDA FFORMIWLÂU A HAFALIADAU.
2) YR UN DILYNIANT O GAMAU A DDEFNYDDIR BOB TRO.

I egluro'r dilyniant o gamau, defnyddiwn yr hafaliad canlynol: $\sqrt{3 - \frac{2x+2}{x+4}} = 2$

Y Chwe Cham i'w Dilyn Gyda Hafaliadau

1) Cael gwared ag unrhyw arwydd ail isradd drwy sgwario'r ddwy ochr:

$$3 - \frac{2x+2}{x+4} = 4$$

2) Cael gwared â phopeth ar y gwaelod drwy groes-luosi Â PHOB TERM ARALL:

$$3 - \frac{2x+2}{x+4} = 4 \quad \Rightarrow \quad 3(x+4) - (2x+2) = 4(x+4)$$

3) Lluosi i ddileu cromfachau: $3x + 12 - 2x - 2 = 4x + 16$

4) Casglu'r termau testun i gyd ar un ochr i'r "=" a'r termau eraill ar yr ochr arall, gan gofio gwrthdroi arwydd +/– pob term fydd yn croesi'r "=":

Mae $+4x$ yn croesi'r "=", felly bydd yn $-4x$
Mae $+12$ yn croesi'r "=", felly bydd yn -12
Mae -2 yn croesi'r "=", felly bydd yn $+2$

$$3x - 2x - 4x = 16 - 12 + 2$$

5) Cyfuno'r termau tebyg ar bob ochr i'r hafaliad a'i symleiddio i'r ffurf "$Ax = B$", lle mae A a B yn rhifau (neu'n grwpiau o lythrennau yn achos fformiwlâu):

$-3x = 6$
("$Ax = B$": A = -3, B = 6, x yw'r testun)

6) Yn olaf, rhoi'r A o dan y B i roi "$x = B/A$", rhannu a dyna'r ateb:

$x = 6/-3 = -2$ Felly $x = -2$

Y Prawf Hollbwysig:

DYSGWCH y 6 CHAM ar gyfer datrys hafaliadau ac ad-drefnu fformiwlâu. Cuddiwch y dudalen ac ysgrifennwch nhw.

1) Datryswch yr hafaliadau canlynol: a) $3(x + 1) = 2 + 4(2 - x)$ b) $\frac{6}{x+3} = \frac{9}{5+2x}$

Ad-drefnu Fformiwlâu

Ystyr Ad-drefnu Fformiwlâu yw gwneud un llythyren yn destun, e.e. cael "$y=$" o rywbeth fel $3x + z = 5(y + 4w)$.

Yn gyffredinol, mae "datrys hafaliadau" yn haws, ond cofiwch:

1) YR UN DULL A DDEFNYDDIR GYDA FFORMIWLÂU A HAFALIADAU.
2) YR UN DILYNIANT O GAMAU A DDEFNYDDIR BOB TRO.

Eglurwn hyn drwy wneud "y" yn destun y fformiwla: $H = \sqrt{4G - \frac{E^2}{2y+1}}$

Y Chwe Cham i'w Dilyn gyda Fformiwlâu

1) Cael gwared ag unrhyw arwydd ail isradd drwy sgwario'r ddwy ochr:

$$H^2 = 4G - \frac{E^2}{2y+1}$$

2) Cael gwared â phopeth ar y gwaelod drwy groes-luosi Â PHOB TERM ARALL:

$$H^2 = 4G - \frac{E^2}{2y+1} \qquad H^2(2y + 1) = 4G(2y + 1) - E^2$$

3) Lluosi i ddileu cromfachau:

$$2yH^2 + H^2 = 8Gy + 4G - E^2$$

4) Casglu'r termau testun i gyd ar un ochr i'r "=" a'r termau eraill ar yr ochr arall, gan gofio gwrthdroi arwydd +/– pob term fydd yn croesi'r "=":

Mae $+8Gy$ yn croesi'r "=", felly bydd yn $-8Gy$

Mae $+H^2$ yn croesi'r "=", felly bydd yn $-H^2$

+/– +/–

$$2yH^2 - 8Gy = -H^2 + 4G - E^2$$

5) Cyfuno'r termau tebyg ar bob ochr i'r hafaliad a'i symleiddio i'r ffurf "$Ax = B$", lle mae A a B yn grwpiau o lythrennau NAD YDYNT yn cynnwys y testun (y). Sylwch fod yn rhaid FFACTORIO yr ochr chwith:

$$(2H^2 - 8G)y = 4G - H^2 - E^2$$

("$Ax = B$" h.y. $A = (2H^2 - 8G)$, $B = 4G - H^2 - E^2$, y yw'r testun)

6) Yn olaf, rhoi'r A o dan y B i roi "$x = B/A$", (canslo os yw'n bosibl) a dyna'r ateb:

$$\text{Felly} \quad y = \frac{4G - H^2 - E^2}{2H^2 - 8G}$$

Y Prawf Hollbwysig:

DYSGWCH y 6 CHAM ar gyfer datrys hafaliadau ac ad-drefnu fformiwlâu. Cuddiwch y dudalen ac ysgrifennwch nhw.

1) Ad-drefnwch "$F = {}^9/_5C + 32$" o "F =" i "C =" ac yna yn ôl y ffordd arall.

2) Gwnewch m yn destun y rhain: a) $\frac{m}{m+n} = 7$; b) $\frac{1}{m} = \frac{1}{n} + \frac{1}{p}$

Trionglau Fformiwla

Efallai y byddwch eisoes wedi gweld y rhain mewn ffiseg. Maen nhw'n *ffordd dda iawn* o ddatrys nifer o broblemau mathemategol eithaf cymhleth - felly gwnewch yn siŵr eich bod yn gwybod sut i'w defnyddio.
Maen nhw'n *hawdd iawn i'w defnyddio* ac yn *hawdd iawn i'w cofio*.

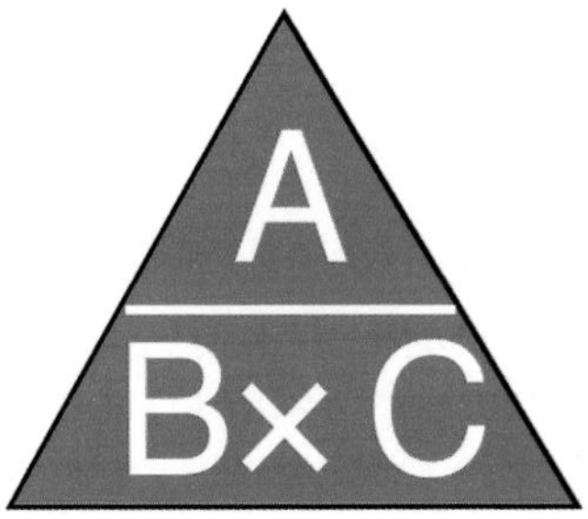

Os ydy 3 pheth wedi'u cysylltu â'i gilydd gan fformiwla sy'n edrych

fel hyn: $A = B \times C$ neu fel hyn: $B = \frac{A}{C}$

yna gallwch eu rhoi mewn TRIONGL FFORMIWLA fel hyn:

1) Yn gyntaf penderfynwch ble i roi'r llythrennau:

1) Os oes DWY LYTHYREN YN CAEL EU LLUOSI Â'I GILYDD yn y fformiwla mae'n rhaid eu rhoi AR WAELOD y Triongl Fformiwla (ac felly mae'n rhaid i'r *llythyren arall* fynd *ar y top*).

Er enghraifft, mae'r fformiwla "$F = m \times a$" yn ymddangos fel hyn mewn triongl fformiwla →

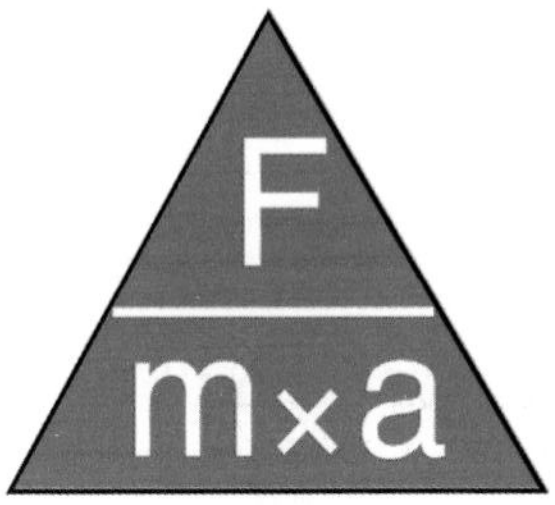

2) Os oes UN PETH YN CAEL EI RANNU Â RHYWBETH ARALL yn y fformiwla, mae'r un SYDD YN RHAN UCHAF Y RHANNU yn mynd AR DOP Y TRIONGL FFORMIWLA (ac felly mae'n rhaid i'r ddau arall fynd *ar y gwaelod* - does dim ots ym mha drefn).

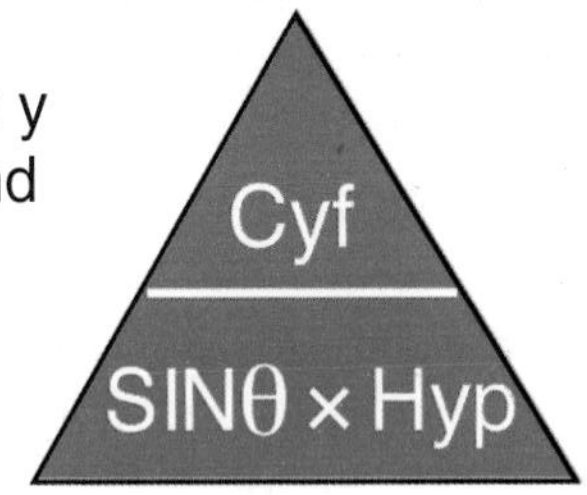

Er enghraifft, mae'r fformiwla "SINθ = Cyf/Hyp" yn ymddangos fel hyn mewn triongl fformiwla ↑.

2) Defnyddio'r Triongl Fformiwla:

Wedi i chi drefnu'r triongl fformiwla, mae'r gweddill yn hawdd:

1) CUDDIWCH *yr hyn rydych am ei ddarganfod* ac YSGRIFENNWCH *yr hyn sydd ar ôl*.
2) YSGRIFENNWCH Y GWERTHOEDD ar gyfer y ddau beth arall a CHYFRIFWCH YR ATEB.

Enghraifft:

"Gan defnyddio "$F = m \times a$", darganfyddwch werth "a" pan yw $F = 15$ ac $m = 50$"

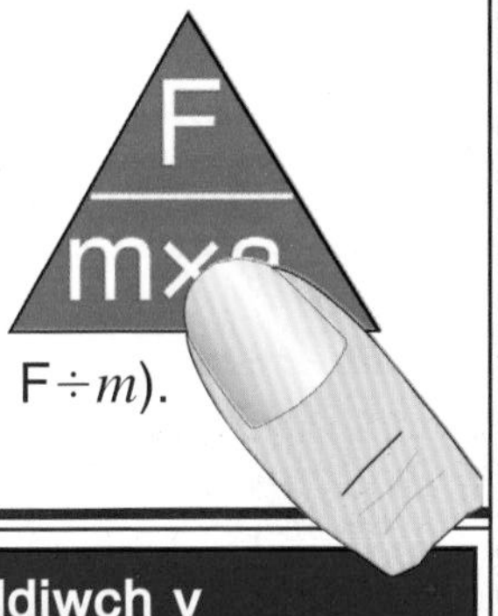

ATEB: Gan ddefnyddio'r triongl fformiwla, mae angen darganfod "a" ac felly rydym yn cuddio "a". Bydd hynny'n gadael "F/m" (h.y. F÷m).
Felly, "a = F/m", ac o roi'r rhifau i mewn: $a = 15/50 = 0.3$.

Y Prawf Hollbwysig: **DYSGWCH Y DUDALEN I GYD, yna cuddiwch y dudalen ac ysgrifennwch yr holl fanylion pwysig gan gynnwys yr enghreifftiau.**

Dwysedd a Buanedd

Mae'n siŵr y byddwch yn cysylltu hyn â ffiseg, ond mae dwysedd yn rhan o'r maes llafur mathemateg hefyd, ac rydych yn debygol iawn o'i gael yn yr arholiad.
Y fformiwla safonol ar gyfer dwysedd yw:

Dwysedd = Màs ÷ Cyfaint

felly gallwn roi hyn mewn TRIONGL FFORMIWLA fel hyn:

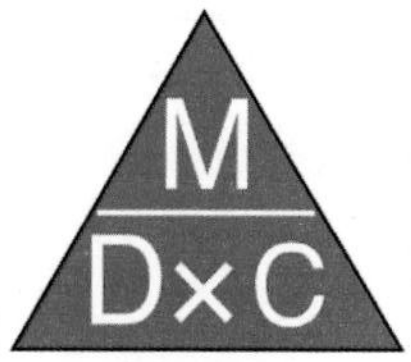

Mae'n RHAID i chi gofio'r fformiwla hon ar gyfer dwysedd neu mi fyddwch ar goll yn yr arholiad. Triwch gofio trefn y llythrennau yn y TRIONGL FFORMIWLA sef D^MC - yr un drefn ag sydd yn y gair DenMarC.

ENGHRAIFFT: *"Darganfyddwch gyfaint gwrthrych sydd â màs o 60g a dwysedd o 2.4g/cm³"*

ATEB: I ddarganfod y cyfaint, cuddiwch C yn y triongl fformiwla.
Mae hyn yn gadael M/D, felly C = M ÷ D
= 60 ÷ 2.4
= 25cm³

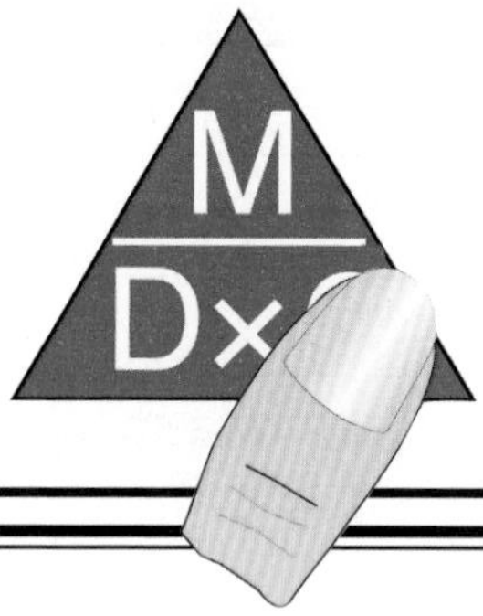

Buanedd = Pellter ÷ Amser

Dyma gwestiwn poblogaidd iawn. Mae'n debyg ei fod yn ymddangos yn yr arholiad bob blwyddyn - ond dydych chi byth yn cael y fformiwla! Felly, dysgwch hi ymlaen llaw - mae'n ffordd hawdd o ennill marciau. I'ch helpu mae yna DRIONGL FFORMIWLA:

Eto, triwch gofio trefn y llythrennau yn y triongl (BPA).
Mae'n siŵr bod yna ffordd BwrPAsol o'i chofio.

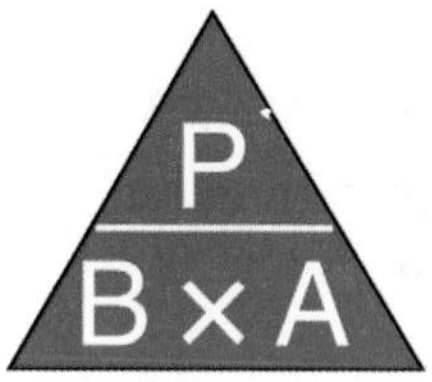

ENGHRAIFFT: *"Mae car yn teithio 140 o filltiroedd ar fuanedd o 40 milltir yr awr. Faint o amser mae'n ei gymryd?"*

ATEB: Rydym am ddarganfod yr AMSER, felly cuddiwch A yn y triongl.
Mae hyn yn gadael P/B,

felly A = P/B = Pellter ÷ Buanedd = 140 ÷ 40 = 3.5 awr.

OS DYSGWCH Y TRIONGL FFORMIWLA, BYDD CWESTIYNAU *BUANEDD, PELLTER AC AMSER* YN HAWDD IAWN.

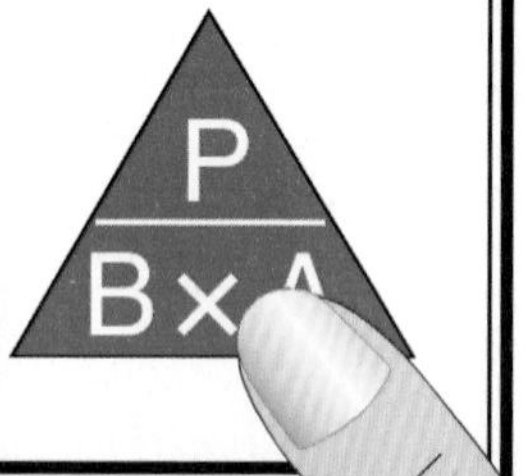

Y Prawf Hollbwysig:

DYSGWCH y fformiwlâu ar gyfer DWYSEDD a BUANEDD - a hefyd y ddau driongl fformiwla.

1) Beth yw'r triongl fformiwla ar gyfer Dwysedd?
2) Cyfaint gwrthrych metel yw 53cm³ a'i fàs yw 656g. Beth yw ei ddwysedd?
3) Cyfaint darn arall o'r un metel yw 46cm³. Beth yw ei fàs?
4) Beth yw'r fformiwla ar gyfer buanedd, pellter ac amser?
5) Faint o amser mae'n ei gymryd i ferch sy'n cerdded ar fuanedd o 1.8km/a fynd 45km? Pa mor bell y bydd hi wedi cerdded mewn 10 awr 30 munud?

Dau Awgrym Wrth Ddefnyddio Fformiwlâu

Manylion fel y rhain yw'r union bethau y dylech eu gwybod - *DYSGWCH NHW'N AWR!*

1) Unedau - Gwneud yn siŵr eu bod yn gywir

Ystyr unedau yw pethau fel cm, m, m/s, km^2, etc. ac fel rheol does dim rhaid i chi boeni'n ormodol amdanynt. Wrth ddefnyddio TRIONGL FFORMIWLA, fodd bynnag, mae un peth arbennig y dylech ei wybod. Mae'n ddigon syml ond mae'n rhaid i chi ei wybod:

Mae'r UNEDAU a gewch ALLAN o Fformiwla YN DIBYNNU'N LLWYR ar yr UNEDAU y byddwch yn eu rhoi I MEWN.

Felly, er enghraifft, os byddwch yn rhoi *pellter mewn CM* ac *amser mewn EILIADAU* yn y triongl fformiwla er mwyn darganfod buanedd, bydd yr ateb mewn *CM yr EILIAD* (cm/s). Ar y llaw arall, os ydy'r amser mewn ORIAU a'r buanedd mewn MILLTIROEDD YR AWR (mya), mae'n amlwg y bydd yr ateb ar gyfer pellter mewn MILLTIROEDD.
Mae'n eithaf syml o ystyried y peth. Mae'n rhaid bod yn ofalus iawn, fodd bynnag, gyda chwestiynau o'r math hwn:

ENGHRAIFFT: *"Mae bachgen yn cerdded 600m mewn 15 munud. Darganfyddwch ei fuanedd mewn km/a."*

ATEB: Os ydych yn cyfrifo "600m ÷ 15 munud" bydd yr ateb yn sicr yn fuanedd, ond bydd mewn metrau y munud (m/mun).
Yn lle hynny mae'n rhaid TRAWSNEWID YN KM AC ORIAU i ddechrau:
600m = 0.6km   15 mun = 0.25 awr (munudau ÷ 60)
Yna gallwch rannu 0.6*km* â 0.25 *awr* i gael 2.4km/a sy'n gwneud mwy o synnwyr.

2) Trawsnewid Amser yn Oriau, Munudau ac Eiliadau gyda [° ' "]

Dyma fanylyn sy'n dod i'r golwg pan fyddwch yn astudio buanedd, pellter ac amser: trawsnewid ateb megis 1.45 AWR yn ORIAU A MUNUDAU. YN SICR DYDY HYN DDIM YN GOLYGU 1 awr a 45 munud - cofiwch NAD YDY cyfrifiannell yn gweithio mewn oriau a munudau OS NAD YDYCH YN RHOI'R CYFARWYDDYD IDDO, fel hyn:

1) BWYDO amser mewn oriau, munudau ac eiliadau i mewn:

e.e. i fwydo 5 awr 23 munud a 42 eiliad i mewn, pwyswch 5 [° ' "] 23 [° ' "] 42 [° ' "]. Bydd y dangosydd yn dangos yr amser fel 5.395 awr - dyma'r rhif cywir i'w ddefnyddio mewn fformiwla gan ei fod yn DDEGOLYN. PEIDIWCH BYTH â bwydo 5 awr 23 munud fel [5.23] - mae'n gamgymeriad ofnadwy.

2) Trawsnewid amser degol yn oriau, munudau ac eiliadau:

I drawsnewid 1.45 awr (y bydd eich cyfrifiannell yn ei ddangos) yn oriau, munudau ac eiliadau, pwyswch 1.45 [SHIFT] [° ' "] a byddwch yn gweld 1° 27° 0 ar y dangosydd, sy'n golygu 1 awr, 27 munud (a 0 eiliad), sef yr hyn sydd ei angen ar gyfer yr ateb terfynol.

Y Prawf Hollbwysig:

DYSGWCH y ddau bwnc yma, cuddiwch y dudalen ac ysgrifennwch bopeth rydych wedi'i ddysgu.

1) Faint o oriau, munudau ac eiliadau a gymerir i deithio 4.352m ar fuanedd o 8km/a?

Cyfesurynnau X, Y a Z

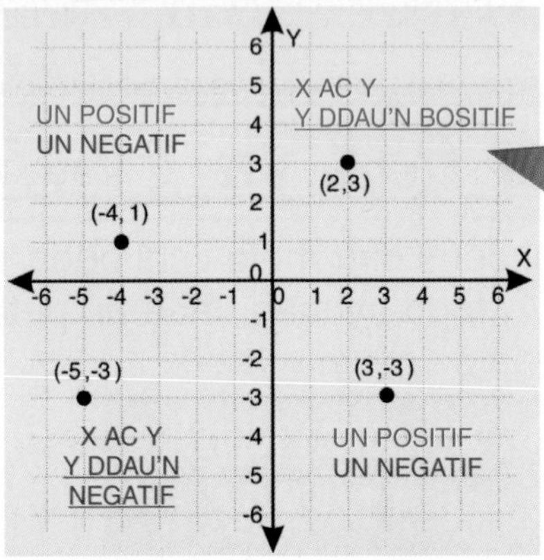

Mae gan graff bedwar rhanbarth gwahanol lle mae cyfesurynnau X ac Y naill ai'n bositif neu'n negatif.

Dyma'r rhanbarth hawsaf oherwydd yma MAE'R CYFESURYNNAU I GYD YN BOSITIF.

Mae'n rhaid i chi fod yn *ofalus iawn* yn y *RHANBARTHAU ERAILL*, fodd bynnag, oherwydd gallai cyfesurynnau X ac Y fod yn negatif, ac mae hynny bob amser yn cymhlethu pethau.

Cyfesurynnau X, Y - cael y drefn gywir

Mae'n rhaid rhoi CYFESURYNNAU mewn cromfachau bob amser, fel hyn: (x, y) **(x, y)**

Gwnewch yn siŵr eich bod yn eu rhoi *yn y drefn gywir*, X gyntaf, yna Y.
Dyma *DRI PHWYNT* i'ch helpu i gofio:

1) Mae'r ddau gyfesuryn bob amser YN NHREFN YR WYDDOR, X ac yna Y.
2) Yr echelin sy'n mynd AR DRAWS y dudalen yw'r echelin x.
3) Rydych bob amser yn mynd I MEWN I'R TŶ (→) ac yna I FYNY'R GRISIAU (↑), felly ewch AR DRAWS gyntaf ac yna I FYNY, h.y. cyfesuryn X gyntaf, ac yna cyfesuryn Y.

Cyfesurynnau 3-D - Pwnc Hawdd Iawn

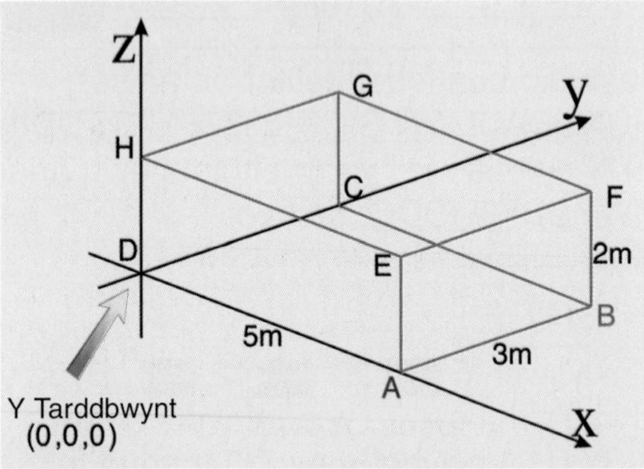

1) Y cwbl mae hyn yn ei olygu yw *estyn* y cyfesurynnau x-y arferol i *drydydd cyfeiriad*, sef z, fel bo *gan bob pwynt 3 chyfesuryn*: (x, y, z).

2) O ganlyniad gallwch roi cyfesurynnau *corneli bocs* neu unrhyw *SIÂP 3 dimensiwn* arall.

Er enghraifft yn y llun hwn cyfesurynnau A a B yw A(5,0,0) B(5,3,0)

Y Prawf Hollbwysig:

DYSGWCH y 3 rheol ar gyfer rhoi X ac Y yn y drefn gywir. Yna cuddiwch y dudalen ac ysgrifennwch y cyfan.

1) Ysgrifennwch gyfesurynnau'r pwyntiau A hyd at H ar y graff hwn:
2) Ysgrifennwch gyfesurynnau holl gorneli eraill y bocs uchod.

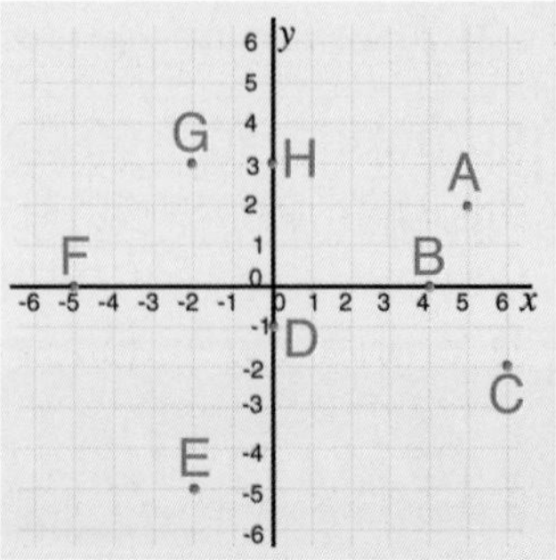

Graffiau Hawdd y Dylech eu Gwybod

Os ydych am wneud bywyd yn hawdd i chi'ch hun, *dylech* ddysgu ychydig o graffiau syml yn iawn. Dyma nhw:

1) "$x = a$"

Llinellau Fertigol

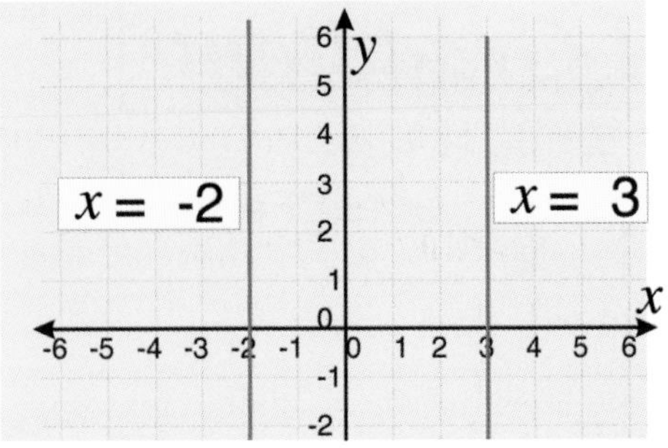

"x = rhif" - llinell sy'n mynd yn syth i fyny drwy'r rhif hwnnw ar yr echelin x, e.e. mae $x = 3$ yn mynd yn syth i fyny drwy 3 ar yr echelin x fel y dangosir.

Cofiwch: yr echelin y yw'r llinell "$x = 0$"

2) "$y = a$"

Llinellau Llorweddol

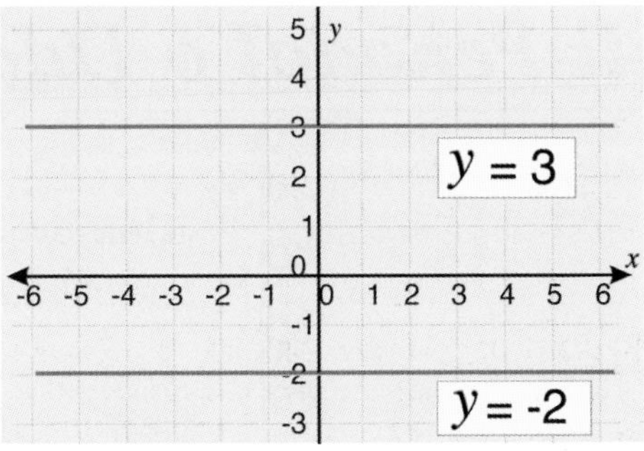

"y = rhif" - llinell sy'n mynd yn syth ar draws drwy'r rhif hwnnw ar yr echelin y, e.e. mae $y = -2$ yn mynd yn syth drwy -2 ar yr echelin y fel y dangosir.

Cofiwch: yr echelin x yw'r llinell "$y = 0$"

3) "$y = x$" ac "$y = -x$"

(Y Prif Groesliniau)

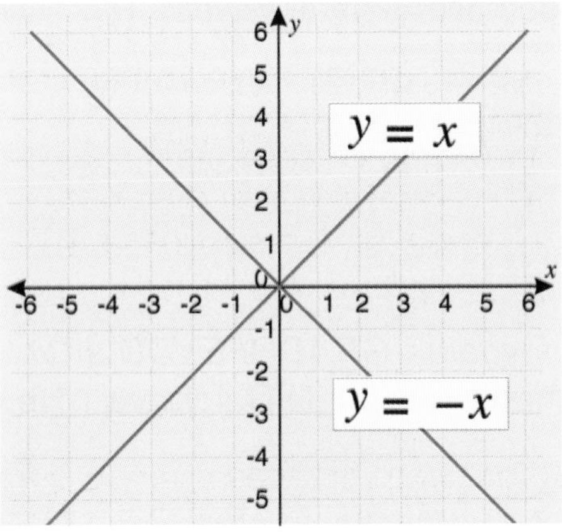

"$y = x$" yw'r brif groeslin sy'n mynd TUAG I FYNY o'r chwith i'r dde.

"$y = -x$" yw'r brif groeslin sy'n mynd TUAG I LAWR o'r chwith i'r dde.

4) "$y = ax$" ac "$y = -ax$"

(Llinellau eraill sy'n goleddu)

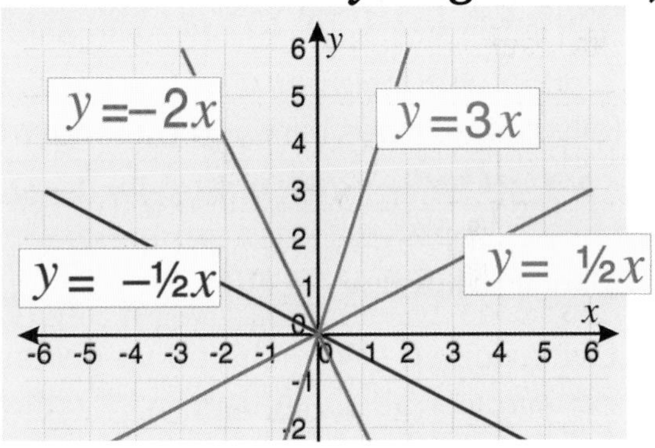

$y = ax$ ac $y = -ax$ yw hafaliadau LLINELL SY'N GOLEDDU TRWY'R TARDDBWYNT.

Gwerth a yw *GRADDIANT* y llinell. Felly po FWYAF yw'r rhif, MWYAF SERTH yw'r goledd. Mae ARWYDD MINWS yn dangos bod y goledd TUAG I LAWR. Gwelir enghreifftiau uchod.

Y Prawf Hollbwysig:

DYSGWCH y PEDWAR MATH HAWDD O GRAFF, yna cuddiwch y dudalen ac YSGRIFENNWCH Y CYFAN ynghyd ag enghreifftiau.

Yna *cuddiwch y dudalen* a gwnewch y rhain:

1) Ysgrifennwch hafaliadau'r *pedwar graff a ddangosir yma*:

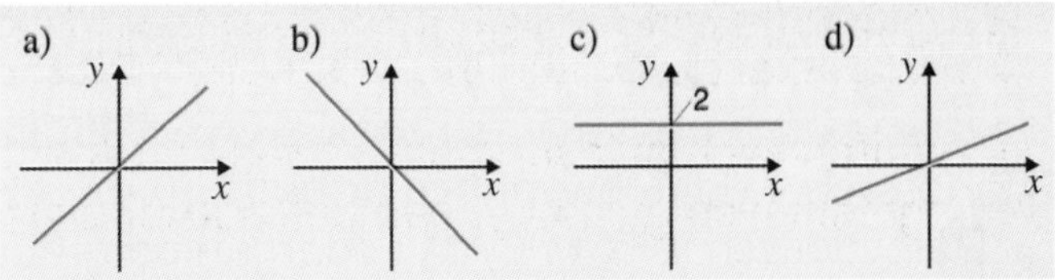

2) Lluniwch y 6 graff hyn: $x = 2$, $y = -1$, $y = x$, $y = -x$, $x = 0$, $y = -3x$.

Darganfod Graddiant Llinell

Mae cyfrifo graddiant llinell yn waith eithaf anodd, a gall amryw o bethau fynd o chwith.

Ond os byddwch yn *dysgu a dilyn y camau isod* ac yn eu trin fel DULL PENODOL, fe gewch lawer mwy o lwyddiant gyda'r gwaith hwn.

Dull Penodol o Ddarganfod Graddiant

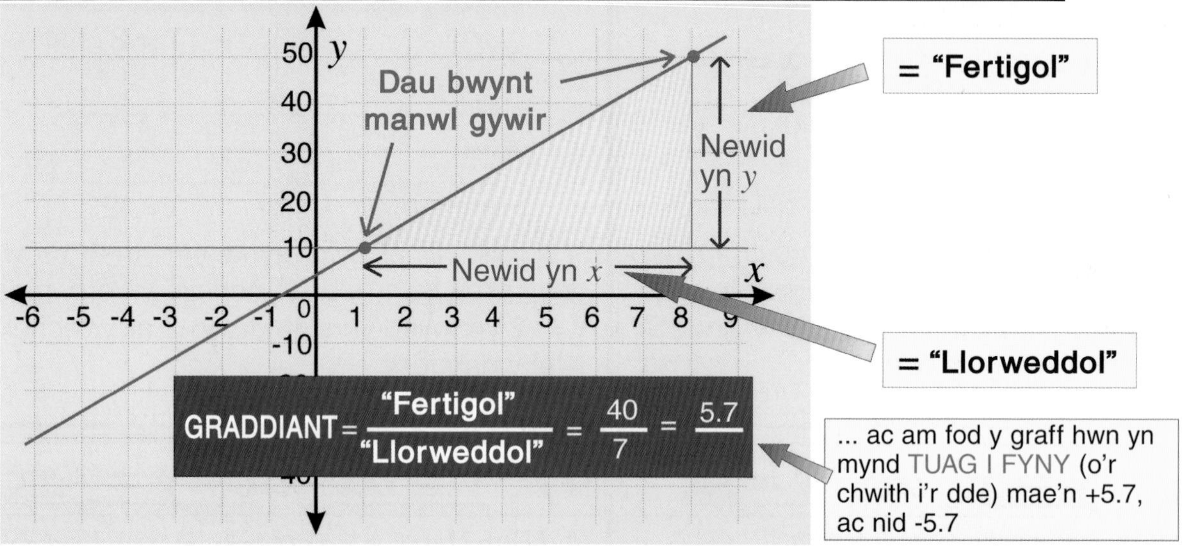

1) Dewiswch *DDAU BWYNT MANWL GYWIR*, sy'n eithaf pell oddi wrth ei gilydd

Y ddau yn y *pedrant uchaf ar y dde* os yw'n bosibl (i gadw'r rhifau i gyd yn bositif ac felly lleihau'r posibilrwydd o gamgymeriadau). (Gweler tud. 42)

2) *CWBLHEWCH Y TRIONGL* fel y dangosir.

3) Darganfyddwch y NEWID YN y a'r NEWID YN x

Gwnewch yn siŵr eich bod yn gwneud hyn gan *ddefnyddio'r GRADDFEYDD ar yr echelinau y ac x*, nid trwy gyfrif cm! (Felly yn yr enghraifft uchod, NID 4cm yw'r Newid yn y, ond *40 uned* ar yr echelin y.)

4) *DYSGWCH* y fformiwla hon a defnyddiwch hi:

$$\text{GRADDIANT} = \frac{\text{FERTIGOL}}{\text{LLORWEDDOL}}$$

Cofiwch roi'r rhain yn y drefn gywir.

5) Yn olaf, ydy'r graddiant yn *BOSITIF* neu'n *NEGATIF?*

Os yw'n goleddu I FYNY, chwith → dde (↗) yna mae'n +if.
Os yw'n goleddu I LAWR, chwith → dde (↘) yna mae'n -if. (Rhowch "–" o'i flaen)

Y Prawf Hollbwysig:

DYSGWCH y PUM CAM ar gyfer darganfod graddiant ac YSGRIFENNWCH NHW.

1) Plotiwch y ddau bwynt hyn ar graff: (0,4) (1,0) ac yna cysylltwch nhw â llinell syth. Defnyddiwch y PUM CAM i ddarganfod graddiant y llinell.

Ystyr Graddiant Llinell

1) Mewn Bywyd Real

Beth bynnag yw'r graff, YSTYR Y GRADDIANT bob amser yw:

(Unedau echelin y) Y / YR / AM BOB (Uned echelin x)

ENGHREIFFTIAU:

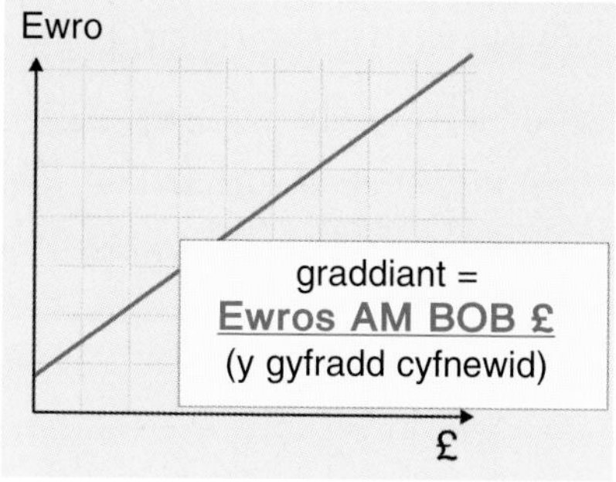

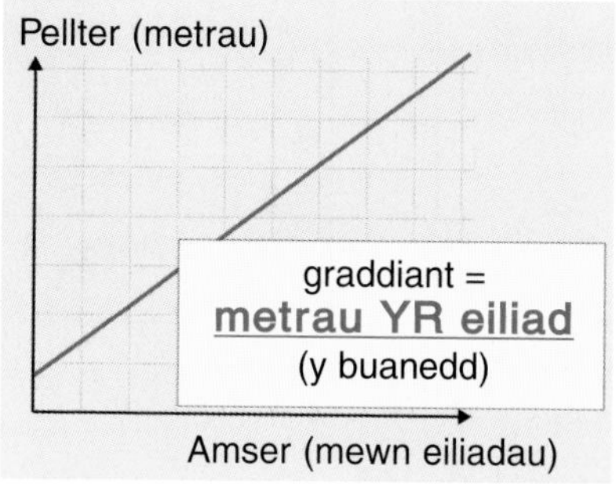

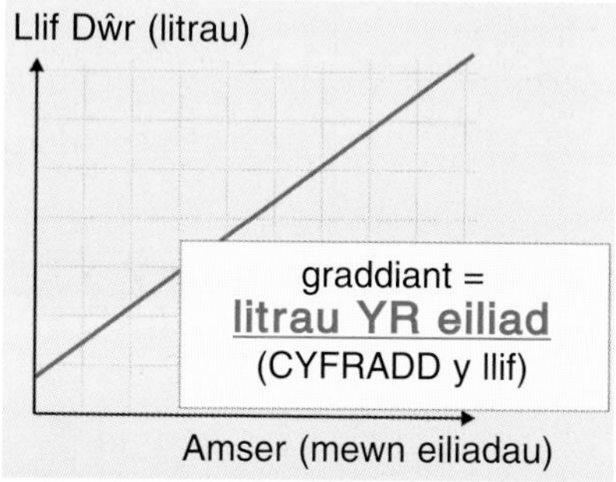

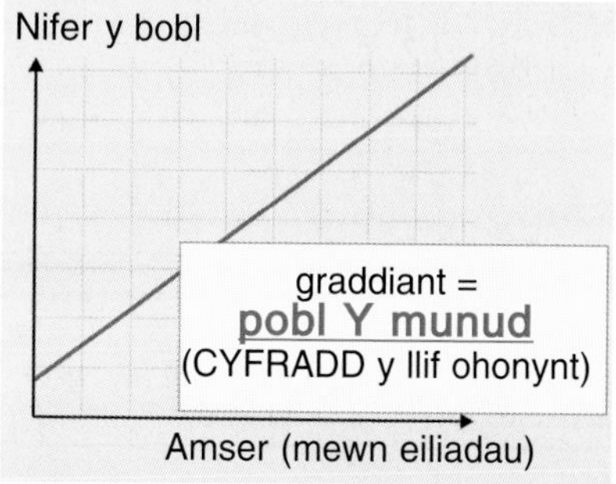

Mae gan rai graddiannau enwau arbennig fel Cyfradd Cyfnewid neu Fuanedd, ond wedi i chi ysgrifennu "*rhywbeth Y/YR/AM BOB rhywbeth arall*" gan ddefnyddio UNEDAU yr echelin y a'r echelin x, yna mae'n eithaf hawdd gweld beth mae'r graddiant yn ei gynrychioli.

2) Yn Hafaliad y Llinell

(Gweler tud. 43)

Yma gwelir goleddau (graddiannau) o'r grŵp $2x$.

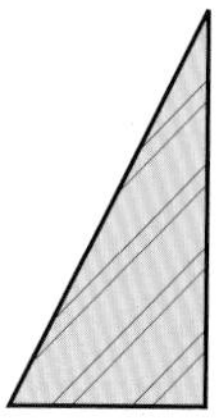

Mae pob rhan ohonynt yn mynd *2 i fyny* am bob *1 ar draws*.

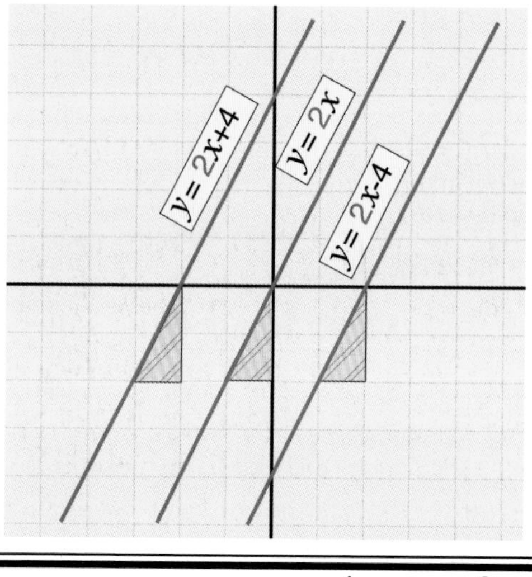

Y goledd, neu'r graddiant, *yw beth bynnag y caiff x ei luosi ag ef*, sef 2 yn yr achos hwn.

Pedwar Graff y Dylech eu Hadnabod

Mae pedwar math o graff y dylech wybod beth yw eu siâp dim ond wrth edrych ar eu hafaliadau - mae hyn yn eithaf hawdd.

1) Graffiau Llinell Syth: "$y = mx + c$"

– ystyr hyn yw "y = graddiant wedi'i luosi ag x + lle mae'n croesi'r echelin y".
Mae'n hawdd adnabod hafaliadau llinell syth – mae ganddynt derm x, term y a rhif, a dyna'r cwbl. Does dim termau x^2 neu x^3 neu $1/x$ na dim byd cymhleth arall.

NID llinellau syth
$x^3 = 2 - y$
$y = x^2 + 2$
$1/y + 2/x = 5$

Llinellau syth		Wedi'u had-drefnu'n "$y = mx + c$"	
$y = 4 + 2x$	→	$y = 2x + 4$	$(m = 2, c = 4)$
$x - 3y = 0$	→	$y = 1/3x + 0$	$(m = 1/3, c = 0)$
$2y + 2x = 8$	→	$y = -x + 4$	$(m = -1, c = 4)$

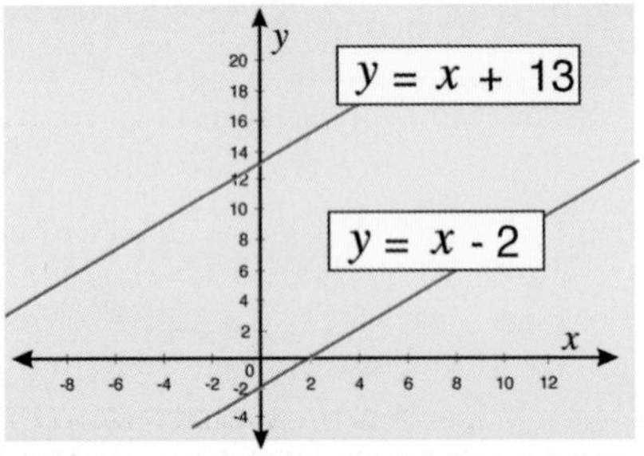

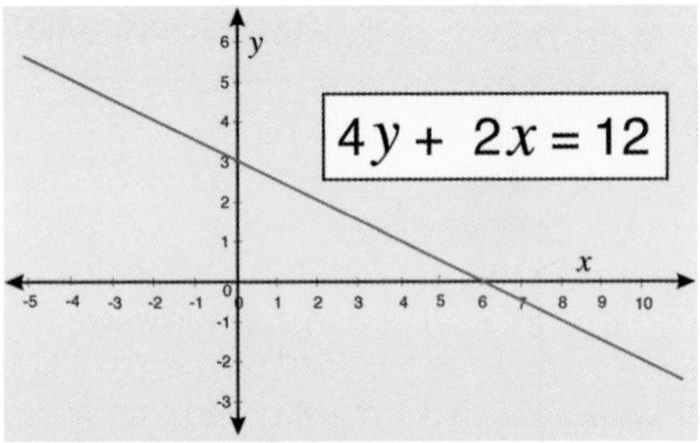

2) Siapiau Bwced: x^2

y = unrhyw beth sy'n cynnwys x^2, ond nid x^3

Sylwch fod gan bob un o'r graffiau x^2 hyn yr un siâp bwced CYMESUR.

Sylwch hefyd, os yw'r rhan x^2 yn bositif (h.y. $+x^2$) yna mae'r bwced â'i waelod i lawr yn y ffordd arferol, ond os oes "minws" o flaen y rhan x^2 (h.y. $-x^2$) yna mae'r bwced â'i ben i lawr.

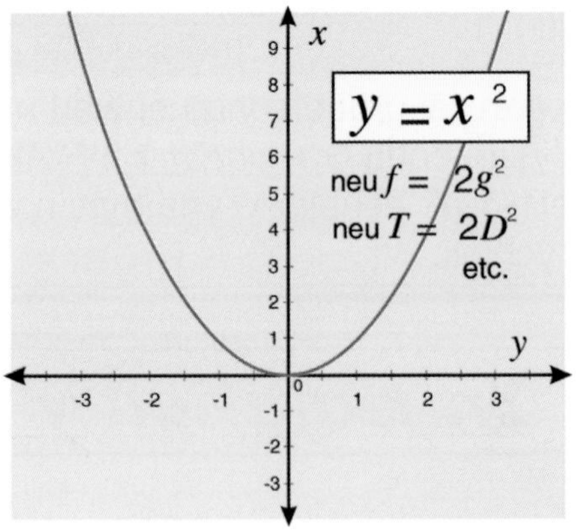

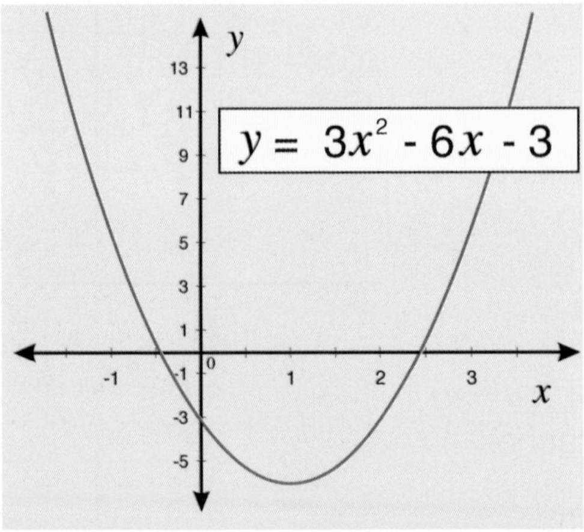

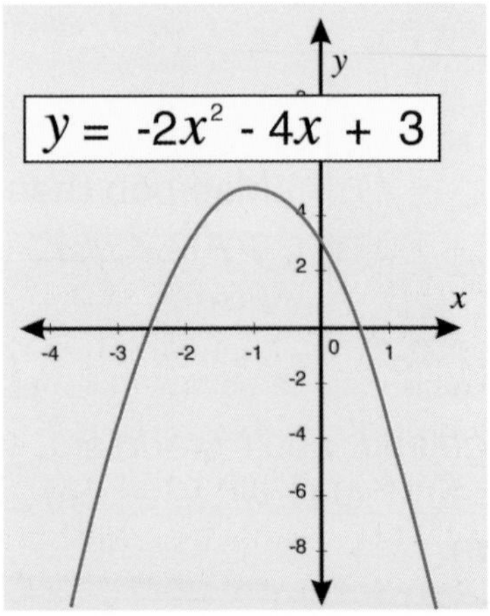

Pedwar Graff y Dylech eu Hadnabod

3) Graffiau x^3:

y = "rhywbeth yn cynnwys x^3"

Mae pob graff x^3 yn cynnwys yr un *tro dwbl* sylfaenol yn y canol, ond gall fod yn dro dwbl fflat neu'n dro dwbl mwy sylweddol.

Sylwch fod "graffiau $-x^3$" bob amser yn dod *i lawr o'r top ar y chwith* ond bod graffiau $+x^3$ yn mynd *i fyny o'r gwaelod ar y chwith*.

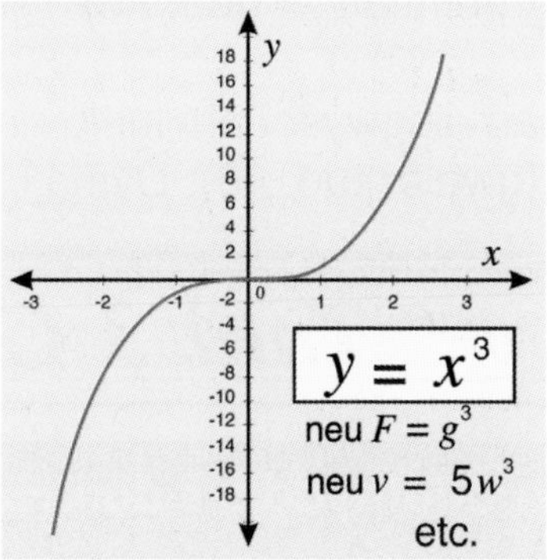

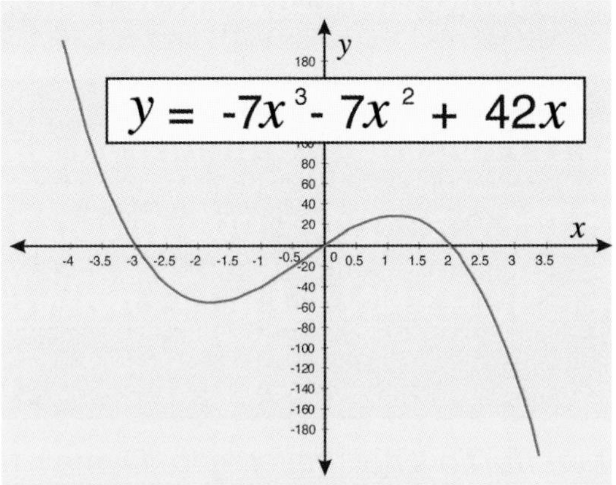

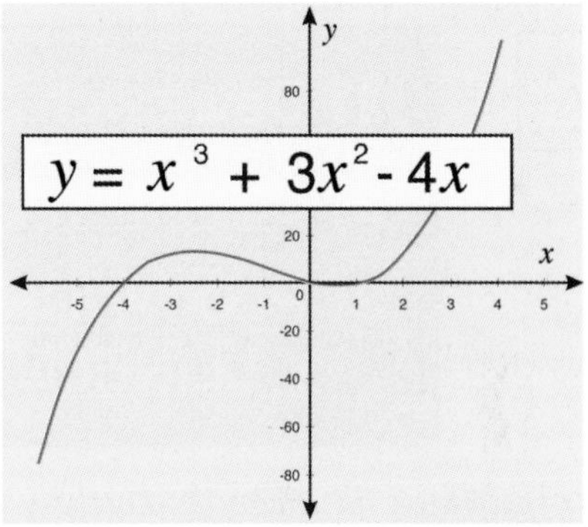

4) Graffiau 1/x:

$y = a/x$, lle mae a yn rhif.

Mae'r graffiau hyn i gyd yn UNION yr un siâp, yr unig wahaniaeth yw pa mor agos y byddant yn mynd at y gornel. Maen nhw i gyd yn *gymesur o boptu'r llinell $y = x$*.
Dyma'r graff a gewch hefyd pan fydd x ac y mewn *cyfrannedd wrthdro*.

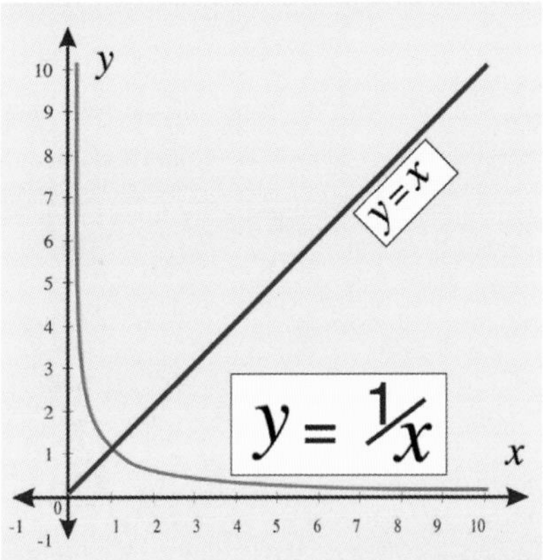

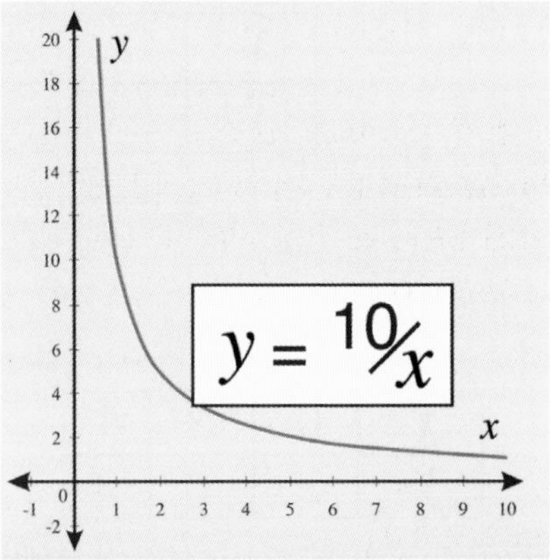

Y Prawf Hollbwysig:

DYSGWCH yr holl fanylion am y 4 Math o Graff, eu hafaliadau a'u siapiau.

Yna *cuddiwch y dudalen* a *brasluniwch dair enghraifft* o bob un o'r *pedwar math* o graff – ac os gallwch roi manylion ychwanegol ynglŷn â'u hafaliadau, *gorau oll*.
Cofiwch, os na fyddwch yn DYSGU HYN, does dim pwrpas darllen y gwaith. Mae hynny'n wir am bob gwaith adolygu.

Plotio Graffiau Llinell Syth

Mae hafaliadau llinell syth yn weddol hawdd i'w hadnabod - maen nhw'n cynnwys dwy llythyren ac ychydig o rifau, ond dim byd anodd fel x neu y wedi'u sgwario neu wedi'u ciwbio. (Gweler enghreifftiau ar dud. 46)

Yn yr arholiad disgwylir i chi lunio graff hafaliad llinell syth. "$y = mx + c$" yw'r ffordd anodd o wneud hyn (gweler tud. 49). Dyma'r FFORDD HAWDD o'i wneud:

Dull y "Tabl 3 Gwerth"

Gallwch ddefnyddio'r dull HAWDD hwn i lunio graff UNRHYW HAFALIAD.

Dull:

1) **Dewiswch 3 o WERTHOEDD x a lluniwch dabl.**
2) **CYFRIFWCH WERTH y ar gyfer pob gwerth x.**
3) **PLOTIWCH Y CYFESURYNNAU a LLUNIWCH Y LLINELL.**

Os yw'n hafaliad llinell syth, bydd y 3 phwynt yn ffurfio llinell hollol syth. Dyma'r ffordd arferol o wirio'r llinell ar ôl ei llunio.
Os nad ydynt yn llinell syth, yna efallai mai cromlin sydd yma a bydd angen i chi roi mwy o werthoedd yn eich tabl i weld beth sy'n digwydd.

Enghraifft:

"Lluniwch graff $y = 2x - 4$".

1) LLUNIWCH DABL gan ddefnyddio rhai gwerthoedd addas ar gyfer x. Mae dewis x = 0, 2, 4 fel arfer yn ddigon da. h.y.

x	0	2	4
y			

2) DARGANFYDDWCH WERTHOEDD y drwy roi pob gwerth x yn yr hafaliad:

e.e. Pan yw $x = 4$,
$y = 2x - 4$
$= 2 \times 4 - 4$
$= 8 - 4 = 4$

x	0	2	4
y	-4	0	4

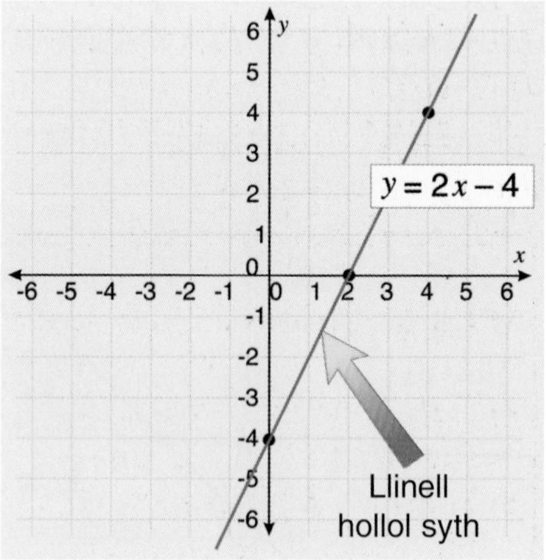

3) PLOTIWCH Y PWYNTIAU a LLUNIWCH Y LLINELL *yn syth ar draws y papur graff (fel y dangosir).*
(Dylai'r pwyntiau bob amser ffurfio LLINELL HOLLOL SYTH. Os nad ydynt, rhowch fwy o werthoedd yn y tabl i weld beth sy'n digwydd.)

Y Prawf Hollbwysig:

DYSGWCH fanylion y dull hawdd hwn, yna cuddiwch y dudalen ac ysgrifennwch nhw.

1) Lluniwch graffiau a) $y = 2x - 3$; b) $y = 5 + x$; c) $y = 5 - 2x$.

Plotio Graffiau Llinell Syth

Defnyddio $y = mx + c$

$y = mx + c$ yw'r hafaliad cyffredinol ar gyfer graff llinell syth, ac mae angen cofio hyn:

"m" yw GRADDIANT y graff

"c" yw'r gwerth LLE MAE'N CROESI'R ECHELIN y a'r enw arno yw'r RHYNGDORIAD.

1) Llunio Llinell Syth gan ddefnyddio "$y = mx + c$"

Y prif beth yw gallu adnabod "m" a "c" a gwybod beth i'w wneud â nhw:
GOFALWCH - gall pobl gymysgu "m" a "c", yn enwedig ar ffurf fel "$y = 5 + 2x$".
COFIWCH: "m" yw'r rhif O FLAEN x *a* "c" yw'r rhif sydd AR EI BEN EI HUN.

Dull

1) **Ysgrifennwch yr hafaliad ar y ffurf "$y = mx + c$".**
2) **DARGANFYDDWCH "m" a "c" YN OFALUS.**
3) **RHOWCH SMOTYN AR YR ECHELIN y lle mae gwerth c.**
4) **Yna ewch YMLAEN UN UNED ac i fyny neu i lawr yn ôl gwerth m a rhowch smotyn arall.**
5) **Gwnewch yr un "cam" eto i'r ddau gyfeiriad fel y dangosir:**
6) **Yn olaf GWIRIWCH fod y graddiant yn EDRYCH YN IAWN.**

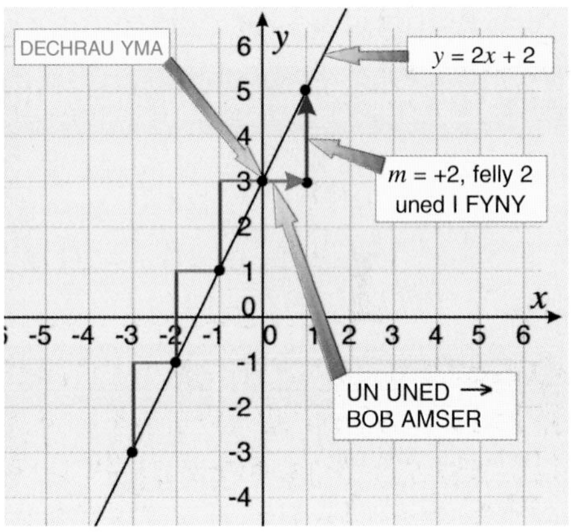

Mae'r graff a welir yma yn dangos y broses ar gyfer yr hafaliad "$y = 2x + 3$":
1) "c" = 3, felly rhowch y smotyn cyntaf yn $y = 3$ ar yr echelin y.
2) Ewch 1 uned → ac yna 2 i fyny oherwydd bod "m" = +2.
3) Gwnewch yr un cam eto, 1 → 2↑ i'r ddau gyfeiriad (h.y. 1← 2↓ y ffordd arall).
4) GWIRIWCH: dylai graddiant o + 2 fod yn eithaf serth tuag i fyny o'r chwith i'r dde.

2) Darganfod Hafaliad Graff Llinell Syth

MAE HYN YN HAWDD:
1) Darganfyddwch ble mae'r graff yn CROESI'R ECHELIN y. Dyma werth "c".
2) Darganfyddwch werth y GRADDIANT (gweler tud. 44). Dyma werth "m".
3) Rhowch y gwerthoedd hyn ar gyfer "m" a "c" yn "$y = mx + c$" a dyna ni!

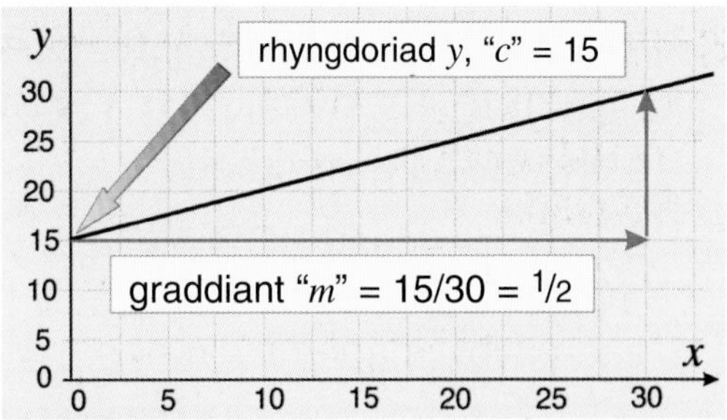

Yn y graff a welir yma, $m = 1/2$ a $c = 15$, felly mae "$y = mx + c$" yn "$y = 1/2x + 15$"

Y Prawf Hollbwysig:

DYSGWCH FANYLION y ddau ddull ar gyfer "$y = mx + c$". Yna CUDDIWCH Y DUDALEN ac YSGRIFENNWCH yr hyn rydych wedi'i ddysgu.

1) Lluniwch graffiau $y = x - 1$ ac $y = 3 - 2x$.
2) Darganfyddwch hafaliadau'r tri graff hyn →

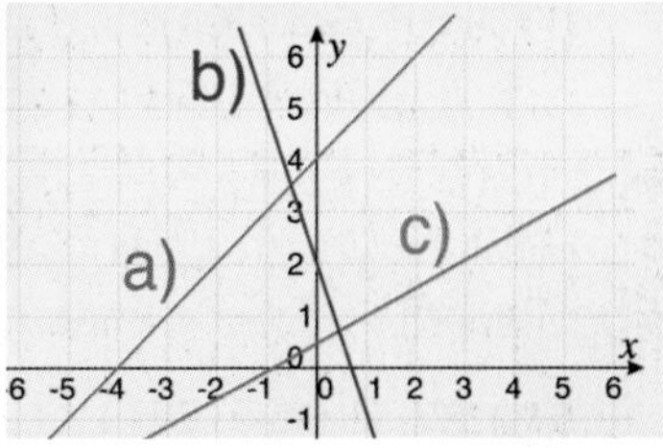

Cwestiynau Cyffredin ar Graffiau

Mae cwestiynau ar graffiau yn cynnwys llawer o fanylion trafferthus: cael y gwerthoedd cywir yn y tabl; plotio'r pwyntiau cywir; a chael yr atebion terfynol o'ch graff. Er mwyn ennill yr holl farciau hawdd hyn, mae'n rhaid i chi ddysgu'r triciau bach canlynol:

Llenwi'r Tabl Gwerthoedd

Cwestiwn poblogaidd: *"Cwblhewch y tabl gwerthoedd ar gyfer yr hafaliad* $y = x^2 - 4x + 3$*"*

x	-2	-1	0	1	2	3	4	5	6
y				0			3		15

PEIDIWCH â cheisio bwydo'r cyfan i mewn i'r cyfrifiannell ar unwaith. Camgymeriad fyddai hynny. Mae gweddill y cwestiwn yn dibynnu ar y tabl gwerthoedd hwn a gallai un camgymeriad gwirion yma achosi i chi golli llawer o farciau. Efallai bod y dull canlynol yn ymddangos yn hir ond dyma'r unig ddull DIOGEL.

1) Ar gyfer POB gwerth yn y tabl dylech YSGRIFENNU'R CANLYNOL:

Ar gyfer $x = 4$: $y = x^2 - 4x + 3$
$= 4^2 - 4 \times 4 + 3$
$= 16 - 16 + 3$
$= 3$

Ar gyfer $x = -1$: $y = x^2 - 4x + 3$
$= (-1\times-1) - (4\times-1) + 3$
$= 1 - -4 + 3 = 1 + 4 + 3$
$= 8$

2) Gwnewch yn siŵr y gallwch atgynhyrchu'r gwerthoedd y a roddwyd i chi eisoes...

– *CYN llenwi'r bylchau yn y tabl.* Mae hyn yn bwysig iawn er mwyn sicrhau eich bod yn gwneud y gwaith yn iawn, cyn i chi ddechrau cyfrifo llawer o werthoedd anghywir. Mae hwn yn gyngor da, felly peidiwch â'i anwybyddu.

Plotio'r Pwyntiau a Llunio'r Gromlin

Yma eto, mae marciau yn y fantol - mae hyn i gyd yn bwysig:

1) RHOWCH YR ECHELINAU YN EU LLE CYWIR: Mae'r gwerthoedd o'r rhes neu'r golofn GYNTAF BOB AMSER yn cael eu plotio ar yr *echelin* x.

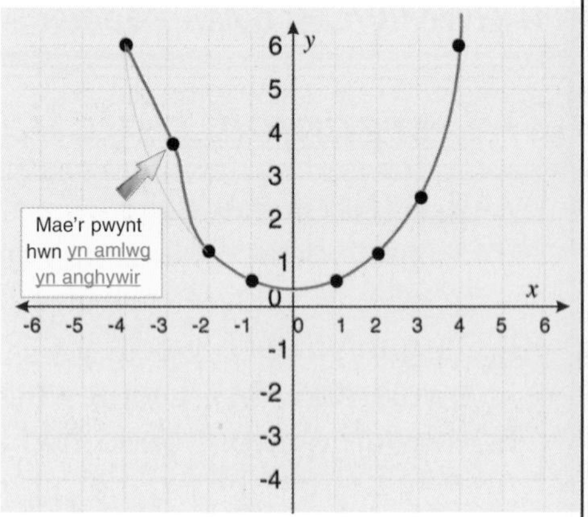

2) PLOTIWCH Y PWYNTIAU'N OFALUS, a pheidiwch â chymysgu gwerthoedd x ac y.
3) Bydd y pwyntiau BOB AMSER yn ffurfio LLINELL HOLLOL SYTH neu GROMLIN HOLLOL LEFN. Os nad ydynt, maen nhw'n *anghywir*.
4) Mae'n rhaid i graff o HAFALIAD ALGEBRAIDD gael ei lunio bob amser yn GROMLIN LEFN (neu'n llinell hollol syth). Yr unig adeg y byddwch yn defnyddio llawer o ddarnau o linellau syth byr yw i gysylltu pwyntiau mewn "*Trafod Data*", sef "polygon amlder". (Gweler tud. 88)

PEIDIWCH BYTH *â gadael i un pwynt dynnu eich llinell i gyfeiriad annerbyniol*. Os bydd un pwynt yn ymddangos yn anghywir, *gwiriwch y gwerth yn y tabl* ac yna gwiriwch eich bod wedi'i blotio'n gywir. Pan fydd graff yn cael ei lunio o hafaliad, fyddwch chi byth yn cael pigynnau neu lympiau - dim ond CAMGYMERIADAU.

Cwestiynau Cyffredin ar Graffiau

Cael Atebion o'ch Graff

1) AR GYFER UN GROMLIN NEU LINELL, byddwch BOB AMSER yn cael yr ateb drwy *dynnu llinell syth o un echelin i'r graff* ac yna *i lawr neu ar draws i'r echelin arall*, fel y gwelir yma:

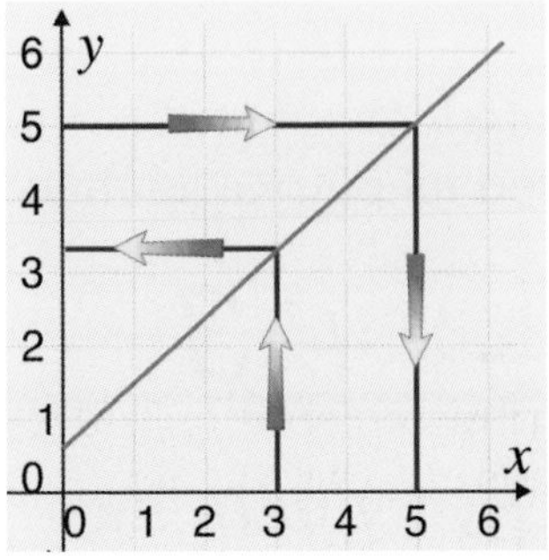

Os ydy'r cwestiwn yn gofyn "*Darganfyddwch werth y pan yw x yn hafal i 3*", Y CWBL SYDD ANGEN EI WNEUD YW HYN: dechrau ar 3 ar yr echelin x, mynd yn syth i fyny i'r graff, yna mynd yn syth ar draws i'r echelin y a darllen beth yw'r gwerth - yn yr achos hwn, $y = 3.2$ (fel y gwelir gyferbyn).

2) OS YDY DWY LINELL YN CROESI...
gallwch fod yn hollol siŵr mai'r ateb i un o'r cwestiynau fydd:
GWERTHOEDD x AC y LLE MAEN NHW'N CROESI, a dylech ddisgwyl hyn hyd yn oed cyn i'r cwestiwn gael ei ofyn! (Gweler Hafaliadau Cydamserol, tud. 54)

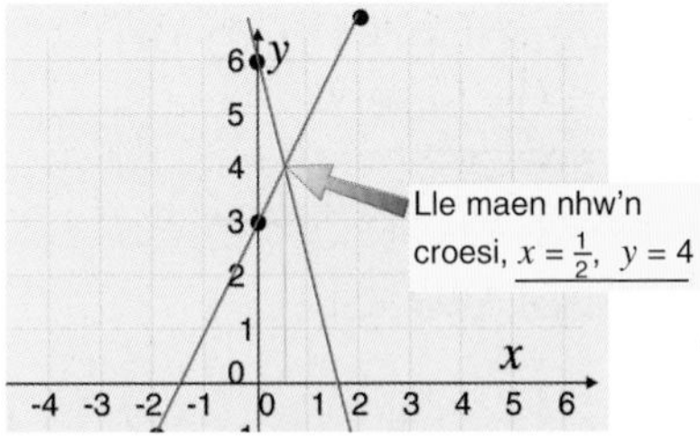

Graffiau Teithio

Y PEDWAR PWYNT ALLWEDDOL:

1) Mae GRAFF TEITHIO bob amser yn graff PELLTER (↑) yn erbyn AMSER (→).
2) Ar gyfer unrhyw ran, GOLEDD (graddiant) = BUANEDD ond cymerwch ofal o'r UNEDAU.
3) Mae'r RHANNAU FFLAT yn dangos lle NAD OES SYMUD.
4) MWYAF SERTH yw'r graff, MWYAF CYFLYM mae'n symud.

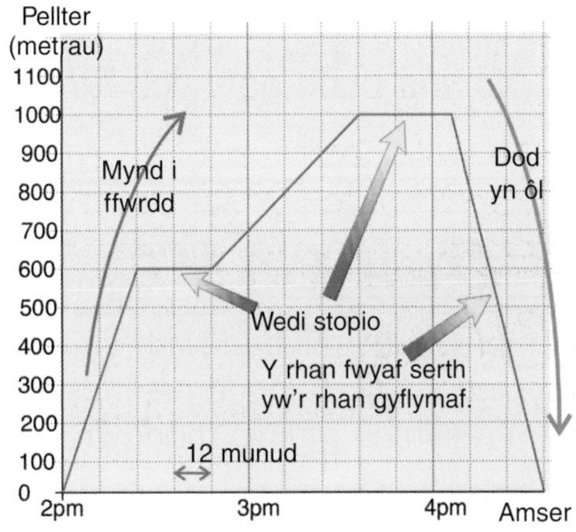

Cwestiwn Trafferthus Cyffredin:

"Beth yw buanedd y rhan "dod yn ôl" ar y graff uchod?"

ATEB: Buanedd = graddiant = 1000m/30mun = 33.33m/mun (metrau y munud)
neu 1km ÷ $^1/_2$ awr = 2km/a (cilometrau yr awr)
neu 1000m ÷ 1800s = 0.56m/s (metrau yr eiliad)

Sylwch fod yr ateb (a'i unedau) yn dibynnu ar yr unedau sy'n cael eu defnyddio i'w gyfrifo.

Y Prawf Hollbwysig:

DYSGWCH y 2 Reol ar gyfer gwneud tablau gwerthoedd, y 4 pwynt ar gyfer llunio graffiau a'r 2 Reol Syml ar gyfer cael atebion.

Cuddiwch y dudalen ac *ysgrifennwch y cyfan oddi ar eich cof*. Yna *triwch eto nes y byddwch yn llwyddo*.

1) *Cwblhewch y tabl gwerthoedd* ar dop y dudalen flaenorol (gan ddefnyddio'r dulliau priodol!), ac yna *lluniwch y graff* gan gofio'r Pedwar Pwynt.
2) O'ch graff darganfyddwch werth y pan yw $x = 4.2$ a gwerthoedd x pan yw $y = 12$.
3) Pa bawn i'n llunio graff gyda "milltiroedd a deithiwyd" ar hyd yr echelin y a "galwyni a ddefnyddiwyd" ar hyd yr echelin x, ac yn darganfod y graddiant, beth fyddai gwerth hwnnw'n ei ddangos?
4) Ar gyfer y graff teithio a welir uchod, cyfrifwch fuanedd y rhan ganol, gan roi eich ateb mewn km/a. Hefyd, disgrifiwch beth sy'n digwydd rhwng 2pm a 4.36pm.

Ehangu Cromfachau

Ystyr "ehangu cromfachau" yw "*lluosi cromfachau*", e.e. $(x + 3)(x + 2)$.
Gall hyn fod yn eithaf trafferthus ac mae'n hawdd cael yr ateb anghywir.
Dysgwch y *ddau ddull defnyddiol* hyn. Dylech bob amser ddefnyddio'r naill neu'r llall.

Y Dull "Arwynebedd"

Yn ôl y dull hwn defnyddir y syniad o *arwynebedd* wrth *luosi cromfachau dwbl*.
Gwneir hyn drwy edrych ar rywbeth fel $(x + 3)(x + 2)$ a'i ystyried fel petryal lle mae "*hyd*" y petryal yn $(x + 3)$ a'r "*lled*" yn $(x + 2)$.
Dangosir hyn yma:

LLUOSWCH i gael arwynebedd pob un o'r *4 DARN*, ... ac yna *ADIWCH* y 4 darn gyda'i gilydd...

	x	$+3$
x	**Hyd y darn hwn yw x a'i lled yw x: ARWYNEBEDD x^2**	**Hyd y darn hwn yw 3 a'i lled yw x: ARWYNEBEDD $3x$**
$+2$	**Hyd y darn hwn yw x a'i lled yw 2: ARWYNEBEDD $2x$**	**Hyd y darn hwn yw 3 a'i lled yw 2: ARWYNEBEDD 6**

... ac yna bydd gennych "arwynebedd" y petryal cyfan $(x + 3)(x + 2)$:

$$x^2 + 3x + 2x + 6 = \underline{x^2 + 5x + 6}$$

Y Dull CAMO

Yn ôl y dull arall byddwch yn *lluosi* pob un o'r *pedwar darn* ar unwaith heb ddefnyddio'r syniad o arwynebedd na llunio unrhyw focsys.
Am resymau *amlwg* rhoddwn yr enw *dull CAMO* ar hyn.

Termau **C**yntaf:	$(x + 3)\ (x + 2)$ — wedi'i luosi â
Termau **A**llanol:	$(x + 3)\ (x + 2)$ — wedi'i luosi â
Termau **M**ewnol:	$(x + 3)\ (x + 2)$ — wedi'i luosi â
Termau **O**laf:	$(x + 3)\ (x + 2)$ — wedi'i luosi â

Felly mae gennym

C + A + M + O =

$x^2 + 2x + 3x + 6 =$

$\underline{x^2 + 5x + 6}$ (eto)

Dyma'r dull gorau i'w ddefnyddio.

Y Prawf Hollbwysig:

DYSGWCH y dull arwynebedd a'r dull CAMO ar gyfer ehangu. Yna cuddiwch y dudalen a'u hysgrifennu.

Yna dewiswch un ohonynt ac ehangwch y canlynol:

1) $(x + 1)(x + 7)$; 2) $(x - 1)(x + 3)$; 3) $(x + 6)(x - 2)$; 4) $(x - 4)(x - 5)$.

Ffactorio Cwadratig

Ystyr Ffactorio Cwadratig

Ystyr "*ffactorio cwadratig*" yw "*ei roi mewn 2 set o gromfachau*". Mae nifer o ffyrdd gwahanol o wneud hyn, felly dewiswch yr un rydych hapusaf â hi. Os nad oes ots gennych pa ddull i'w ddefnyddio, dysgwch y dull canlynol. Ffurf gyffredinol pob hafaliad cwadratig yw:

$$ax^2 + bx + c = 0$$

(e.e. $x^2 + 5x + 3 = 0$)

Dull Ffactorio

1) **BOB AMSER ad-drefnwch yn y FFURF GYFFREDINOL: $ax^2 + bx + c = 0$.**
2) **Ysgrifennwch y DDWY SET O GROMFACHAU gydag x ynddynt:**
   $(x \quad)(x \quad) = 0$
3) **Yna darganfyddwch 2 rif sy'n LLUOSI i roi "c" (y rhif olaf) ac sydd hefyd yn ADIO/TYNNU i roi "b" (cyfernod x).**
4) **Rhowch y rhain i mewn a gwiriwch fod yr arwyddion +/– yn gweithio'n iawn.**

Enghraifft

"*Datryswch $x^2 - x = 6$ drwy ffactorio.*"

ATEB: 1) Ad-drefnwch yr hafaliad (yn y ffurf gyffredinol): $x^2 - x - 6 = 0$
2) Y cromfachau cychwynnol yw (fel arfer): $(x \quad)(x \quad) = 0$

3) Yn awr mae angen edrych ar yr holl barau o rifau sy'n lluosi i roi "c" (= 6), ond sydd hefyd yn adio neu'n tynnu i roi gwerth "b" (= -1):
1×6 *Adio/tynnu i roi:* 7 neu 5
2×3 *Adio/tynnu i roi:* 5 neu (1) ← Dyma ni (= $\pm b$)

4) Mae 2 a 3 yn rhoi $b = \pm 1$, felly rhowch nhw i mewn: $(x \quad 2)(x \quad 3) = 0$
5) Yn awr rhowch yr arwyddion +/– i mewn fel bo'r 2 a'r 3 yn adio/tynnu i roi -1 (= b).
Mae'n amlwg mai'r rhifau yw +2 a -3, felly mae gennym: $(x + 2)(x - 3) = 0$
6) Mae'n BWYSIG gwirio hyn, felly EHANGWCH y cromfachau eto i wneud yn siŵr eu bod yn rhoi'r hafaliad gwreiddiol:
$(x + 2)(x - 3) = x^2 + 2x - 3x - 6 = x^2 - x - 6$

Cofiwch nad dyma'r diwedd, oherwydd dim ond ffurf ffactor yr hafaliad yw $(x + 2)(x - 3) = 0$ - mae'n rhaid i ni roi'r DATRYSIADAU. Mae hynny'n hawdd iawn:

7) Y DATRYSIADAU yw'r ddau rif y tu mewn i'r cromfachau, ond gydag ARWYDDION +/– GWAHANOL: h.y. $x = -2$ neu $+3$

Gwnewch yn siŵr eich bod yn cofio'r cam olaf. Dyma'r gwahaniaeth rhwng DATRYS YR HAFALIAD a'i ffactorio yn unig.

Y Prawf Hollbwysig:

DYSGWCH y 7 cam ar gyfer datrys hafaliadau cwadratig drwy ffactorio.

1) Datyrswch y canlynol *drwy'r dull ffactorio*: a) $x^2 + 2x - 8 = 0$ b) $x^2 + 5x - 24 = 0$ c) $x^2 - x - 12 = 0$ d) $x^2 + 3x - 20 = 8$

Hafaliadau Cydamserol

Dydy'r rhain ddim yn anodd, dim ond i chi ddysgu'r CHWE CHAM canlynol yn fanwl iawn.

Y Chwe Cham

Wrth egluro'r gwaith defnyddiwn y ddau hafaliad canlynol:
$y + 6x = -1$ a $2y = 13 + 3x$

1) AD-DREFNU'R DDAU HAFALIAD YN Y FFURF: $ax + by = c$
lle mae a, b, c yn rhifau, (a allai fod yn negatif).
Hefyd LABELU'R DDAU HAFALIAD —① a —②

$6x + y = -1$ —①

$-3x + 2y = 13$ —②

2) Mae angen trefnu bod cyfernodau x neu y YR UN FATH YN Y DDAU HAFALIAD.
I wneud hyn efallai y bydd angen LLUOSI un hafaliad neu'r ddau â rhif (rhifau) addas. Yna dylech eu HAIL-LABELU: —③ a —④

$6x + y = -1$ —③

②×2 : $-6x + 4y = 26$ —④

(Mae $+6x$ yn hafaliad —③ yn cyd-fynd â $-6x$ yn hafaliad —②, a elwir yn awr yn —④)

3) ADIO NEU DYNNU Y DDAU HAFALIAD ...
... i gael gwared â'r ddau derm sydd â'r un cyfernod. Os ydy'r cyfernodau yr UN FATH (y ddau'n bositif neu'r ddau'n negatif) yna TYNNU. Os ydy'r cyfernodau'n DDIRGROES (y naill yn bositif a'r llall yn negatif) yna ADIO.

③+④ $0x + 5y = 25$ (Yn yr achos hwn mae gennym $+6x$ a $-6x$ felly rydym yn ADIO)

4) DATRYS YR HAFALIAD i gael gwerth y llythyren sydd ar ôl ynddo.

$5y = 25 \Rightarrow y = 5$

5) RHOI'R GWERTH HWN yn Hafaliad ① i gael gwerth y llythyren arall.

Rhoi gwerth y yn ①: $6x + 5 = -1 \Rightarrow 6x = -6 \Rightarrow x = -1$

6) Yna RHOI GWERTHOEDD Y DDWY LYTHYREN YN HAFALIAD ②
i wneud yn siŵr eu bod yn werthoedd cywir. Os nad ydynt, rydych wedi gwneud camgymeriad a bydd yn rhaid i chi ddechrau eto!

Rhoi gwerthoedd x ac y yn ②: $-3 \times -1 + 2 \times 5 = 3 + 10 = 13$
sy'n gywir, felly mae wedi gweithio.

Felly, y datrysiad yw: $x = -1$, $y = 5$

Y Prawf Hollbwysig:

DYSGWCH y 6 Cham ar gyfer datrys Hafaliadau Cydamserol.

Cofiwch na fyddwch wedi'u dysgu'n iawn nes y gallwch eu hysgrifennu oddi ar eich cof, felly rhowch gynnig arni. Yna defnyddiwch y 6 cham i ddarganfod v ac w o wybod bod $3v - 2 = -4w$ a bod $w = 4v - 28$

Hafaliadau Cydamserol

Ar y dudalen gyferbyn rhoddir y dull algebraidd ar gyfer datrys hafaliadau cydamserol.
Ar y dudalen hon rhoddir dull graffigol ar gyfer eu datrys.
Mae'n bosibl y bydd gofyn i chi ddefnyddio'r naill ddull neu'r llall yn yr arholiad, felly dysgwch y ddau.

Datrys Hafaliadau Cydamserol gan Ddefnyddio Graffiau

Mae hon yn ffordd hawdd iawn o ddarganfod datrysiadau x ac y dau hafaliad cydamserol. Dyma'r rheol syml:

DATRYSIAD dau HAFALIAD CYDAMSEROL yw gwerthoedd x ac y LLE MAE EU GRAFFIAU YN CROESI.

Y Tri Cham

1) **Lluniwch "*DABL 3 GWERTH*" ar gyfer y ddau hafaliad.**
2) **Lluniwch y ddau *GRAFF*.**
3) **Darganfyddwch werthoedd x ac y *LLE MAE'R GRAFFIAU'N CROESI*.**

Enghraifft

Lluniwch graffiau "$y = 2x + 1$" ac "$y = 4 - x$" ac yna defnyddiwch eich graffiau i ddatrys yr hafaliadau.

1) TABL 3 GWERTH ar gyfer y ddau hafaliad:

$y = 2x + 1$

x	0	1	2
y	1	3	5

$y = 4 - x$

x	0	2	4
y	4	2	0

2) LLUNIWCH Y GRAFFIAU

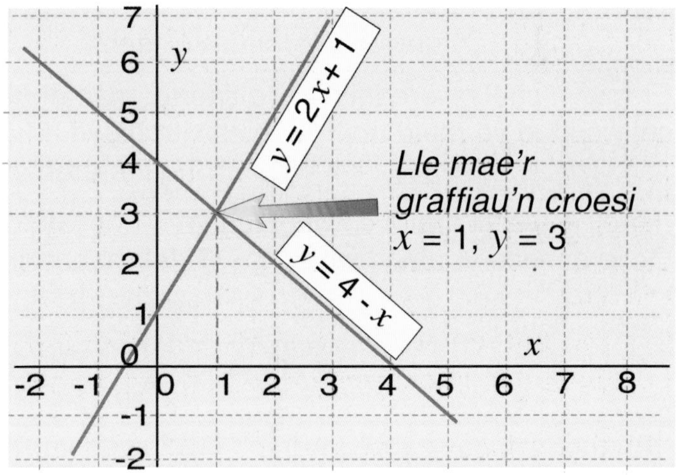

3) LLE MAEN NHW'N CROESI, $x = 1$, $y = 3$.

A dyna'r ateb!

$x = 1$ ac $y = 3$

Y Prawf Hollbwysig:

DYSGWCH y ffaith syml fod y datrysiad i'w weld lle mae'r llinellau'n croesi.

Yna defnyddiwch y dull graffigol i ddatrys y canlynol:

$$y = 3x + 1; \quad y = -2x - 2$$

Anhafaleddau

Yn sylfaenol mae'r rhain yn eithaf anodd, ond mae'n werth dysgu'r darnau hawdd rhag ofn y cewch gwestiwn hawdd iawn arnynt yn yr arholiad. Dyma'r darnau hawdd:

Y 4 Symbol Anhafaledd:

Ystyr $>$ yw "Yn fwy na" **Ystyr $\geqslant$ yw "Yn fwy na neu'n hafal i"**
Ystyr $<$ yw "Yn llai na" **Ystyr $\leqslant$ yw "Yn llai na neu'n hafal i"**

COFIWCH, yr un ar y pen AGORED yw'r MWYAF.

felly mae "$x > 3$" a "$3 < x$" yn dangos bod "x yn fwy na 3"

Algebra ag Anhafaleddau

Yn gyffredinol mae hwn braidd yn anodd.

Yr hyn i'w gofio yma yw bod anhafaleddau yn debyg i hafaliadau cyffredin:

$$6x > x + 4$$
$$6x = x + 4$$

yn yr ystyr bod holl reolau arferol algebra (gweler tud. 28) yn dal i weithio ...
... AR WAHÂN I UN EITHRIAD PWYSIG:

Bob tro y byddwch yn LLUOSI NEU'N RHANNU Â RHIF NEGATIF, bydd yn rhaid TROI'R ARWYDD ANHAFALEDD O CHWITH.

Enghraifft:

"Datryswch $3x < 4x + 3$"

ATEB: Yn gyntaf symudwch y $4x$ dros yr "$<$" : $3x - 4x < 3$
Cyfunwch y termau x i gael: $-x < 3$

Er mwyn cael gwared â'r "$-$" o flaen x mae angen rhannu'r ddwy ochr â -1 – ond cofiwch fod yn rhaid troi'r "$<$" o chwith hefyd. Mae hynny'n rhoi:

$x > -3$ h.y. yr ateb yw "*mae x yn fwy na -3*"

(Mae'r $<$ wedi'i droi o chwith i fod yn $>$ oherwydd ein bod wedi rhannu â rhif negatif.)
Gellir dangos yr ateb hwn, $x > -3$, fel rhanbarth tywyll ar linell rif fel hyn:

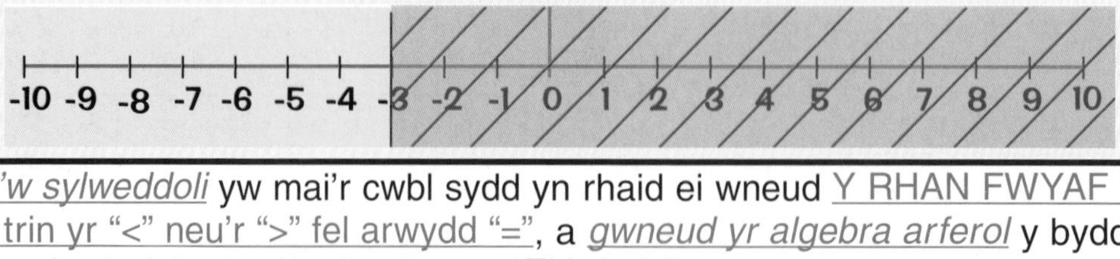

Y prif beth i'w sylweddoli yw mai'r cwbl sydd yn rhaid ei wneud Y RHAN FWYAF O'R AMSER yw trin yr "$<$" neu'r "$>$" fel arwydd "$=$", a *gwneud yr algebra arferol* y byddech yn ei wneud ar gyfer hafaliad cyffredin. Dydy'r "Eithriad Pwysig" ddim yn codi yn aml.

Y Prawf Hollbwysig:

DYSGWCH: y 4 Symbol Anhafaledd, y tebygrwydd rhyngddynt a HAFALIADAU a'r Un Eithriad Pwysig.

Yn awr *cuddiwch y dudalen ac ysgrifennwch yr hyn rydych wedi'i ddysgu*.

1) Datryswch yr anhafaledd: $5x - 2 \leqslant 6x + 2$.
2) Darganfyddwch holl werthoedd rhifau cyfan x sy'n bodloni $5x < 3 + 4x$ a $3x + 7 \geqslant 1$

Anhafaleddau Graffigol

Mae'r rhain yn hawdd os cofiwch y dull hawdd o lunio graffiau – h.y. tabl 3 gwerth (gweler tud. 48).
Mae'r cwestiynau bob amser yn cynnwys TYWYLLU RHANBARTH AR GRAFF, sy'n hawdd, ond cyn hynny mae'n rhaid deall algebra cymhleth yr olwg, sy'n dychryn llawer o bobl cyn iddynt ddechrau.
Os cofiwch fod yr algebra cymhleth yr olwg yn rhywbeth syml iawn mewn gwirionedd, yna bydd yr holl gwestiwn yn rhyfeddol o syml!

Dull

1) **TRAWSNEWIDIWCH bob ANHAFALEDD yn HAFALIAD**
   drwy roi "=" yn lle'r "<"

2) **LLUNIWCH DABL 3 GWERTH AR GYFER POB HAFALIAD** (gweler tud. 48)
   ac yna lluniwch y llinellau ar y papur graff.

3) **TYWYLLWCH Y RHANBARTH SY'N CAEL EI AMGÁU**
   Bydd y llinellau rydych wedi'u llunio bob amser yn amgáu'r rhanbarth y gofynnir amdano — a gofynnir i chi ei dywyllu bron bob tro.

Enghraifft

"Tywyllwch y rhanbarth a gynrychiolir gan: $y > 2$, $y < x + 1$ a $x + y < 7$"
(Dyma'r algebra cymhleth yr olwg)

ATEB:

1) TRAWSNEWIDIWCH BOB ANHAFALEDD YN HAFALIAD:
   Bydd $y > 2$ yn $y = 2$
   Bydd $y < x + 1$ yn $y = x + 1$,
   Bydd $x + y < 7$ yn $x + y = 7$.

2) LLUNIWCH DABL 3 GWERTH ar gyfer pob hafaliad, a lluniwch y llinellau ar bapur graff.
   e.e. ar gyfer $x + y = 7$:

x	0	3	6
y	7	4	1

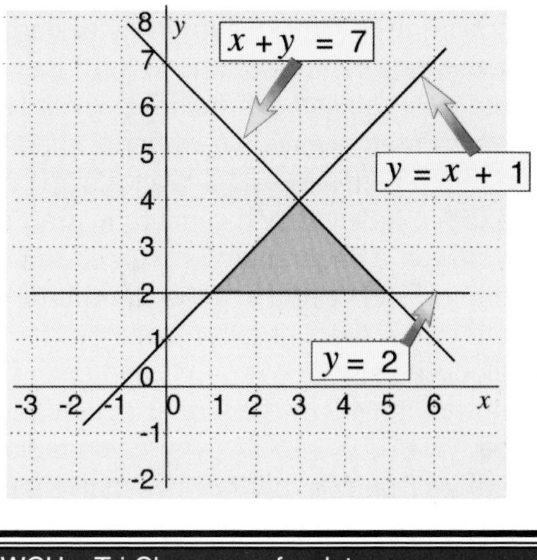

3) TYWYLLWCH Y RHANBARTH SY'N CAEL EI AMGÁU
   a dyna'r gwaith wedi'i orffen.

Y Prawf Hollbwysig:

DYSGWCH y Tri Cham ar gyfer datrys anhafaleddau graffigol, yna cuddiwch y dudalen ac ysgrifennwch nhw.

1) Ar bapur graff dangoswch y rhanbarth sy'n cael ei amgáu gan y tri amod canlynol:
   $y < 2x$, $x + y < 5$, $y > 1$.

Crynodeb Adolygu ar gyfer Adran 2

Efallai y bydd y cwestiynau hyn yn ymddangos yn anodd, ond dyma'r adolygu gorau y gallwch ei wneud. Cofiwch mai diben adolygu yw gweld beth nad ydych yn ei wybod ac yna ei ddysgu nes y byddwch yn ei wybod. Bydd y cwestiynau hyn yn ffordd dda o brofi faint a wyddoch. Maen nhw'n dilyn trefn y tudalennau yn Adran 2, felly bydd hi'n hawdd troi at y tudalennau perthnasol os na wyddoch rywbeth.

Daliwch ati i ddysgu'r ffeithiau sylfaenol hyn nes y byddwch yn eu gwybod.

1) Ysgrifennwch dair enghraifft o drosi cwestiwn o'r Gymraeg i algebra.
2) Mewn algebra, beth yw term? Beth yw'r pedwar cam ar gyfer symleiddio mynegiad?
3) Rhowch y pedwar manylyn pwysicaf ynglŷn â lluosi cromfachau.
4) Beth sy'n digwydd gyda chromfachau dwbl ac wrth sgwario cromfachau? Rhowch y 3 cham ar gyfer ffactorio.
5) Rhowch y chwe math gwahanol o batrymau rhif ynghyd ag enghraifft o bob un.
6) Beth yw'r ddwy fformiwla ar gyfer darganfod yr $n$fed term mewn patrwm rhif?
7) Beth yw'r ddwy reol ar gyfer rhifau negatif? Pryd y cânt eu defnyddio?
8) Rhestrwch 5 cyfuniad o lythrennau sy'n achosi dryswch mewn algebra, e.e. ab^2.
9) Beth yw 4 cam y dull o roi gwerthoedd mewn fformiwlâu?
10) Beth yw'r cysylltiad rhwng CORLAT â rhoi gwerthoedd mewn fformiwlâu?
11) Beth yw'r ddau ddull hawdd gwahanol ar gyfer datrys hafaliadau syml?
12) Dangoswch eich bod yn gallu defnyddio'r dulliau hyn drwy wneud enghraifft o bob un.
13) Rhowch y 4 cam ar gyfer datrys hafaliad drwy'r dull cynnig a gwella.
14) Eglurwch beth yw'r "dull cydbwyso" ar gyfer datrys hafaliadau.
15) Beth sy'n gyffredin i ddatrys hafaliadau ac ad-drefnu fformiwlâu?
16) Rhestrwch y dull 6 cham ar gyfer gwneud hafaliadau a fformiwlâu. Beth yw ystyr Ax = B?
17) Beth yw'r ddau gam ar gyfer defnyddio triongl fformiwla?
18) Beth yw'r triongl fformiwla ar gyfer a) dwysedd; b) buanedd?
19) Beth ydych yn ei wybod am yr unedau a ddaw allan o fformiwla?
20) Eglurwch beth yw cyfesurynnau 3-D. Rhowch enghraifft.
21) Pa fath o linell yw a) $x = a$; b) y = b; c) $y = ax$? Brasluniwch $y = x$ ac $y = -x$.
22) Beth yw'r fformiwla ar gyfer graddiant?
23) Ysgrifennwch y dull 5 cam ar gyfer darganfod graddiant.
24) Beth yw'r 4 math gwahanol o graff y dylech wybod eu siâp sylfaenol?
25) Beth yw'r hafaliad cyffredinol ar gyfer llinell syth?
26) Beth sy'n eu gwneud yn wahanol i hafaliadau nad ydynt yn llinellau syth?
27) Pa fath o hafaliad sydd â graff â siâp bwced? Beth am fwced â'i ben i lawr?
28) Pa fath o hafaliad sy'n cynhyrchu graff â thro dwbl yn y canol?
29) Gwnewch 2 enghraifft o bob un o'r tri uchod, gan roi'r hafaliad a braslunio'r graff.
30) Beth yw'r ddwy reol ar gyfer llenwi tabl gwerthoedd?
31) Beth yw'r 4 rheol ar gyfer plotio graff ar sail tabl gwerthoedd?
32) Eglurwch ystyr "$y = mx + c$", gan gynnwys arwyddocâd "m" a "c".
33) Rhowch fanylion y 3 cham ar gyfer cael hafaliad graff llinell syth.
34) Beth yw'r ddwy reol ar gyfer cael atebion o graff neu graffiau?
35) Beth yw'r pedwar prif fanylyn ynglŷn â graffiau teithio?
36) Beth sy'n rhaid i chi ei wneud wrth "ffactorio cwadratig"?
37) Beth yw "hafaliadau cydamserol"? Rhowch enghraifft.
38) Rhowch y dull 6 cham ar gyfer datrys hafaliadau cydamserol.
39) Rhowch 3 cham y dull o ddatrys hafaliadau cydamserol gan ddefnyddio graffiau.
40) Beth yw pedwar symbol anhafaledd a beth yw eu hystyr?
41) Beth yw rheolau algebra ar gyfer anhafaleddau? Beth yw'r eithriad pwysig?
42) Beth yw'r 3 cham ar gyfer datrys anhafaleddau graffigol?

Polygonau Rheolaidd

SIÂP AMLOCHROG yw POLYGON. Mewn POLYGON RHEOLAIDD mae'r HOLL OCHRAU A'R ONGLAU YR UN FAINT. Mae'r POLYGONAU RHEOLAIDD yn gyfres ddiddiwedd o siapiau sy'n cynnwys rhai nodweddion arbennig. Maen nhw'n hawdd iawn i'w dysgu. Dyma ychydig o'r rhai cyntaf ond does dim terfyn arnynt - mae'n bosibl cael polygon 16 ochr neu 30 ochr, etc.

TRIONGL HAFALOCHROG

(3)

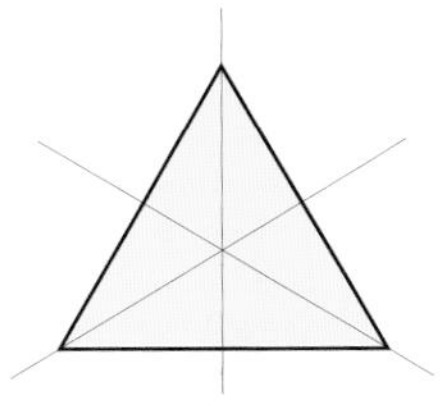

3 ochr
3 llinell cymesuredd
Cymesuredd cylchdro trefn 3

SGWÂR

(4)

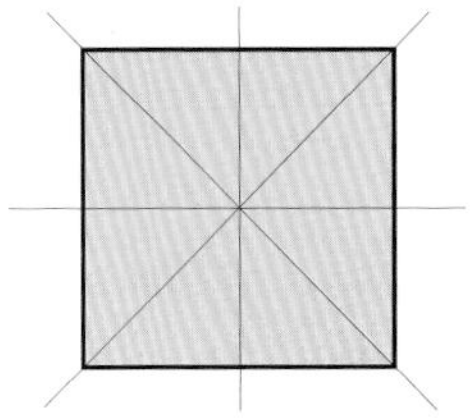

4 ochr
4 llinell cymesuredd
Cymesuredd cylchdro trefn 4

PENTAGON RHEOLAIDD

(5)

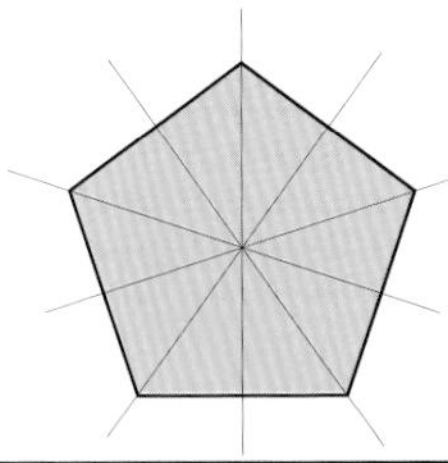

5 ochr
5 llinell cymesuredd
Cymesuredd cylchdro trefn 5

HECSAGON RHEOLAIDD

(6)

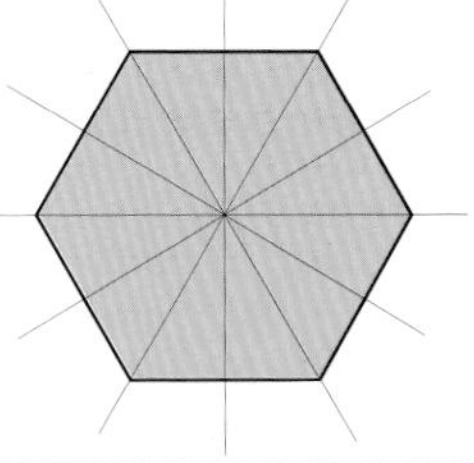

6 ochr
6 llinell cymesuredd
Cymesuredd cylchdro trefn 6

HEPTAGON RHEOLAIDD

(7)

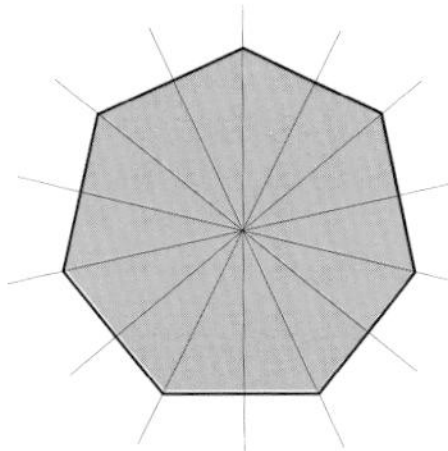

7 ochr
7 llinell cymesuredd
Cymesuredd cylchdro trefn 7
Mae darn 50c yn heptagon.

OCTAGON RHEOLAIDD

(8)

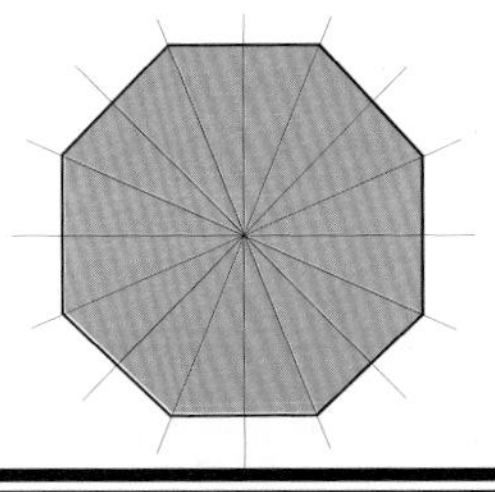

8 ochr
8 llinell cymesuredd
Cymesuredd cylchdro trefn 8

Onglau Mewnol ac Allanol

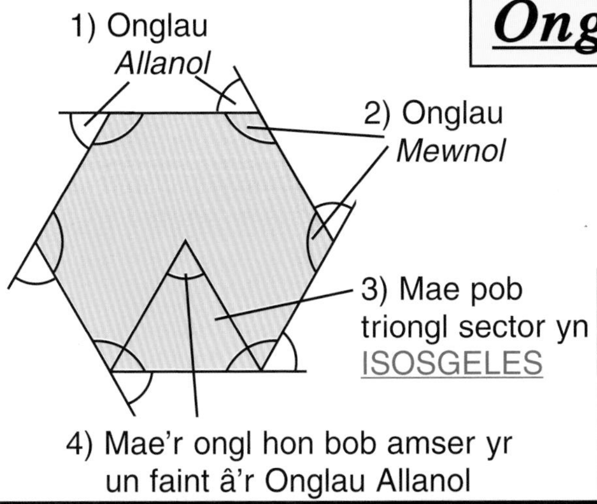

Os cewch Bolygon Rheolaidd yn yr arholiad, mae'n siŵr y byddwch yn gorfod cyfrifo'r Onglau Mewnol ac Allanol, felly dysgwch sut i wneud hyn.

$$\text{ONGL ALLANOL} = \frac{360°}{\text{Nifer yr Ochrau}}$$

ONGL FEWNOL = 180° - ONGL ALLANOL

Y Prawf Hollbwysig:

DYSGWCH BOPETH AR Y DUDALEN HON. Yna cuddiwch hi ac atebwch y canlynol:

1) Beth yw Polygon Rheolaidd? 2) Enwch y chwe chyntaf ohonynt.
3) Lluniwch Bentagon a Hecsagon a dangoswch eu holl linellau cymesuredd.
4) Beth yw'r ddwy fformiwla bwysig ynglŷn â pholygonau?
5) Cyfrifwch y ddwy ongl allweddol ar gyfer Hecsagon. 6) Ac ar gyfer Polygon Rheolaidd 10 ochr.

Cymesuredd

Ystyr CYMESUREDD yw lle y gellir rhoi siâp neu ddarlun mewn GWAHANOL SAFLEOEDD a'i fod yn EDRYCH YN UNION YR UN FATH. Mae TRI MATH o gymesuredd.

1) Cymesuredd Llinell

Yma gallwch lunio LLINELL DDRYCH (neu fwy nag un) ar draws darlun a bydd y ddwy ochr (o boptu'r llinell) yn plygu'n union ar ei gilydd.

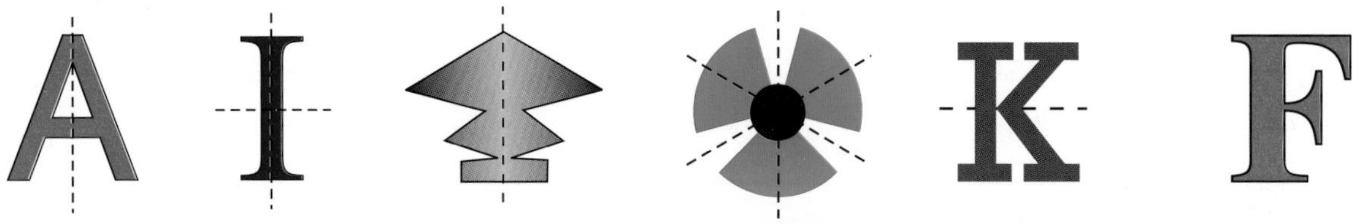

1 LLINELL CYMESUREDD — 2 LINELL CYMESUREDD — 1 LLINELL CYMESUREDD — 3 LLINELL CYMESUREDD — 1 LLINELL CYMESUREDD — DIM LLINELL CYMESUREDD

Sut i lunio adlewyrchiad:

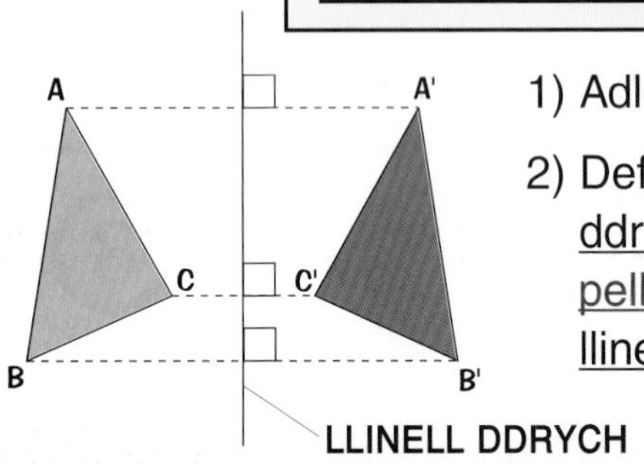

1) Adlewyrchwch bob pwynt un ar y tro.
2) Defnyddiwch linell sy'n croesi'r llinell ddrych ar 90° ac sy'n mynd yr un pellter YN UNION yr ochr arall i'r llinell ddrych, fel y dangosir.

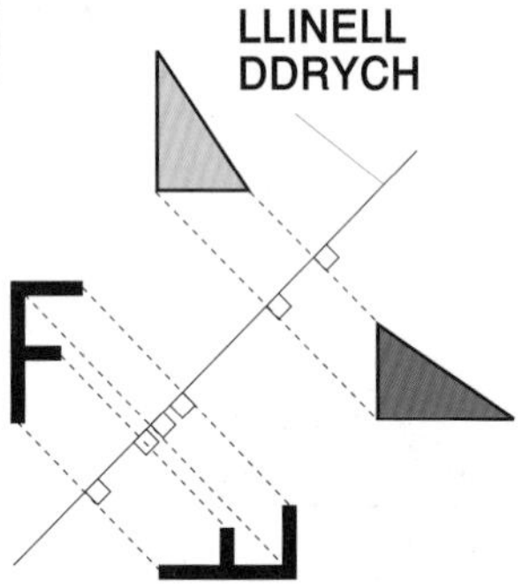

2) Cymesuredd Plân

Mae Cymesuredd Plân yn ymwneud â SOLIDAU 3D.
Yn union fel y gall siapiau fflat gael llinell ddrych,
gall gwrthrychau solet 3D gael plân cymesuredd.

Gellir llunio arwyneb drych plân drwy lawer o solidau rheolaidd, ond mae'n rhaid i'r siâp fod YN UNION YR UN FATH AR DDWY OCHR Y PLÂN (h.y. delweddau drych), fel y rhain:

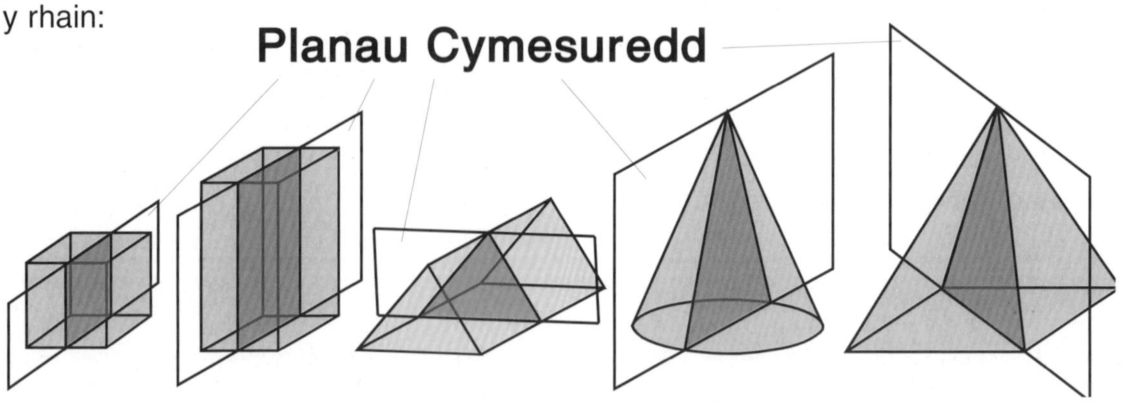

Mae gan y siapiau hyn i gyd LAWER MWY O BLANAU CYMESUREDD, ond un yn unig sydd wedi'i lunio yma ar gyfer pob siâp. Fel arall byddai gormod o linellau ac ni fyddai dim yn glir.

Cymesuredd

3) Cymesuredd Cylchdro

Yma gellir CYLCHDROI y siâp neu'r darlun i wahanol safleoedd a bydd yn edrych yr un fath yn union.

Trefn 1 Trefn 2 Trefn 2 Trefn 3 Trefn 4

Dau Bwynt Allweddol:

1) NIFER Y SAFLEOEDD GWAHANOL LLE MAE'R SIÂP YN EDRYCH YR UN FATH yw TREFN Y CYMESUREDD CYLCHDRO.
   e.e. dylech ddweud fod gan y siâp H uchod, "Gymesuredd Cylchdro trefn 2"

2) OND ... pan fo gan siâp 1 SAFLE YN UNIG gallwch ddweud NAILL AI "Mae ganddo Gymesuredd Cylchdro trefn 1" NEU "Does ganddo DDIM Cymesuredd Cylchdro".

Papur Dargopïo

MAE CYMESUREDD YN HAWS OS DEFNYDDIWCH BAPUR DARGOPÏO.

1) Ar gyfer ADLEWYRCHIADAU, dargopïwch un ochr o'r lluniad a'r llinell ddrych. Yna TROWCH Y PAPUR DROSODD a rhoi'r llinell ddrych yn ei safle gwreiddiol.
   (Mae rhoi smotiau ar y llinell ddrych yn eich helpu i'w chael i'w lle eto.)
2) Ar gyfer CYLCHDROI, trowch y papur dargopïo o gwmpas.
   Mae hyn yn dda iawn ar gyfer darganfod CANOL cylchdro (drwy gynnig a gwella) yn ogystal â threfn y cymesuredd cylchdro.
3) Gallwch ddefnyddio papur dargopïo yn yr ARHOLIAD - felly GOFYNNWCH AMDANO neu ewch â'ch papur dargopïo eich hun.

Y Prawf Hollbwysig:

DYSGWCH y manylion pwysig am GYMESUREDD LLINELL A CHYMESUREDD PLÂN, y 2 bwynt ynglŷn â CHYMESUREDD CYLCHDRO a'r 3 phwynt ynglŷn â PHAPUR DARGOPÏO.

Yna CUDDIWCH y tudalennau ac YSGRIFENNWCH Y CYFAN *ynghyd ag enghreifftiau* i weld faint rydych wedi'i ddysgu.

1) Copïwch y llythrennau hyn a marciwch yr holl linellau cymesuredd.
   Nodwch hefyd beth yw trefn cymesuredd cylchdro pob un ohonynt.
   I N E Y W S T Z
2) Copïwch y pum solid ar y dudalen flaenorol heb eu plân cymesuredd (gweler tud. 62).
   Yna lluniwch blân cymesuredd gwahanol ar gyfer pob un ohonynt.
   (Dydy llunio gwrthrychau 3D ddim yn hawdd, ond mae'n hwyl edrych ar ymdrechion pobl eraill.)

Y SIAPIAU Y DYLECH EU HADNABOD

Mae'r rhain yn farciau hawdd yn yr arholiad - gwnewch yn siŵr eich bod yn eu hadnabod nhw i gyd

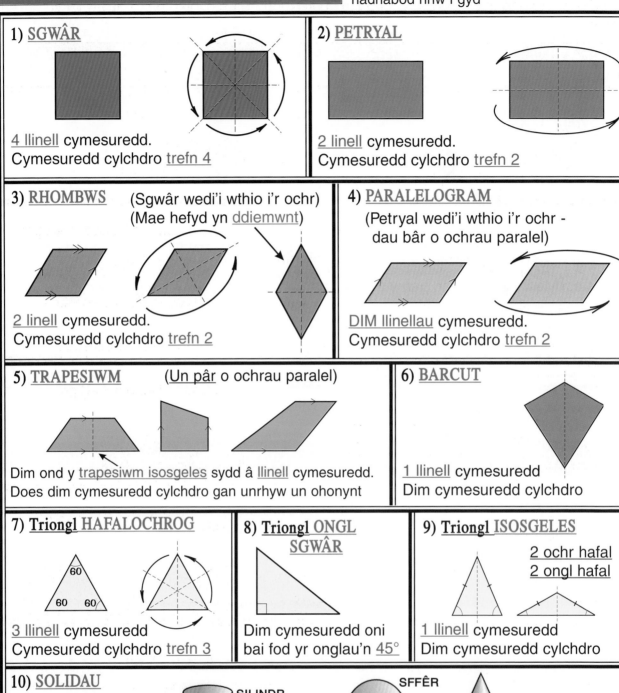

1) SGWÂR

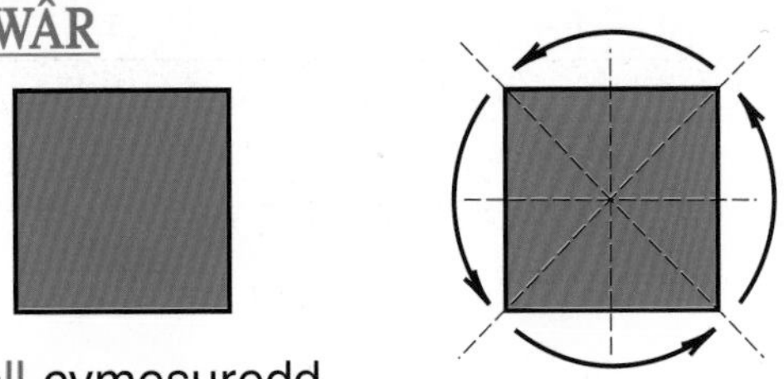

4 llinell cymesuredd.
Cymesuredd cylchdro trefn 4

2) PETRYAL

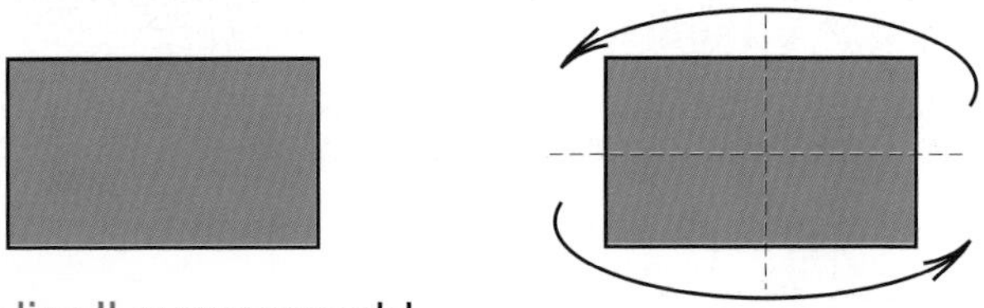

2 linell cymesuredd.
Cymesuredd cylchdro trefn 2

3) RHOMBWS

(Sgwâr wedi'i wthio i'r ochr)
(Mae hefyd yn ddiemwnt)

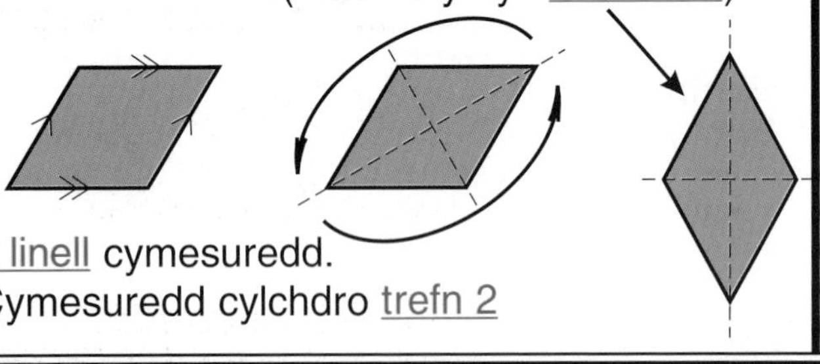

2 linell cymesuredd.
Cymesuredd cylchdro trefn 2

4) PARALELOGRAM

(Petryal wedi'i wthio i'r ochr - dau bâr o ochrau paralel)

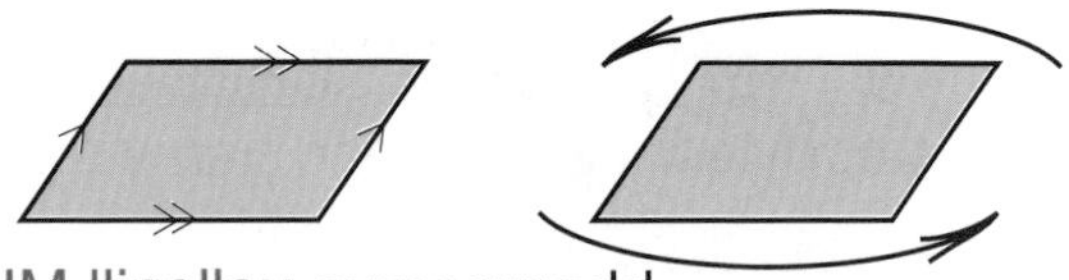

DIM llinellau cymesuredd.
Cymesuredd cylchdro trefn 2

5) TRAPESIWM

(Un pâr o ochrau paralel)

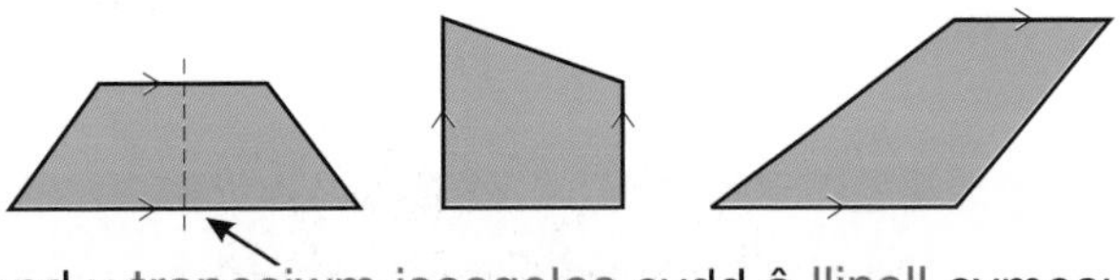

Dim ond y trapesiwm isosgeles sydd â llinell cymesuredd.
Does dim cymesuredd cylchdro gan unrhyw un ohonynt

6) BARCUT

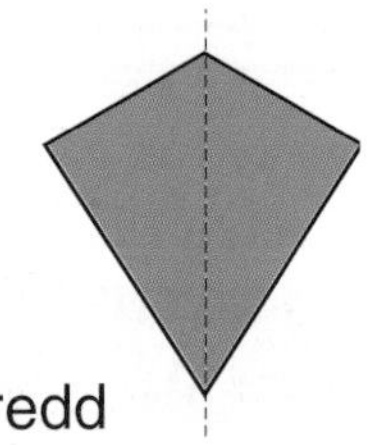

1 llinell cymesuredd
Dim cymesuredd cylchdro

7) Triongl HAFALOCHROG

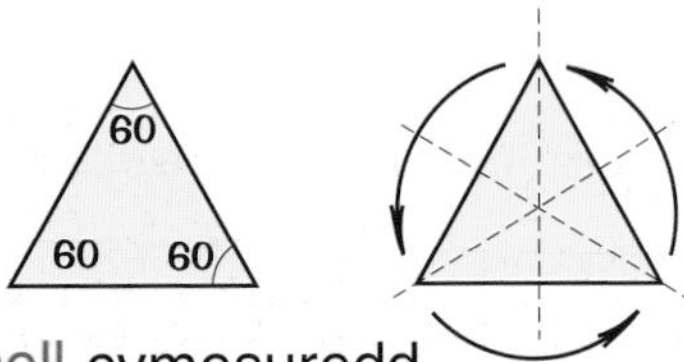

3 llinell cymesuredd
Cymesuredd cylchdro trefn 3

8) Triongl ONGL SGWÂR

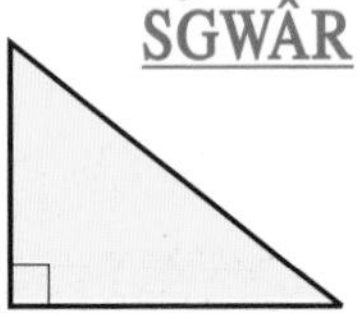

Dim cymesuredd oni bai fod yr onglau'n 45°

9) Triongl ISOSGELES

2 ochr hafal
2 ongl hafal

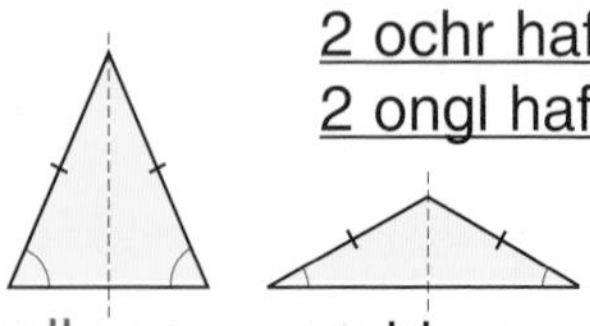

1 llinell cymesuredd
Dim cymesuredd cylchdro

10) SOLIDAU

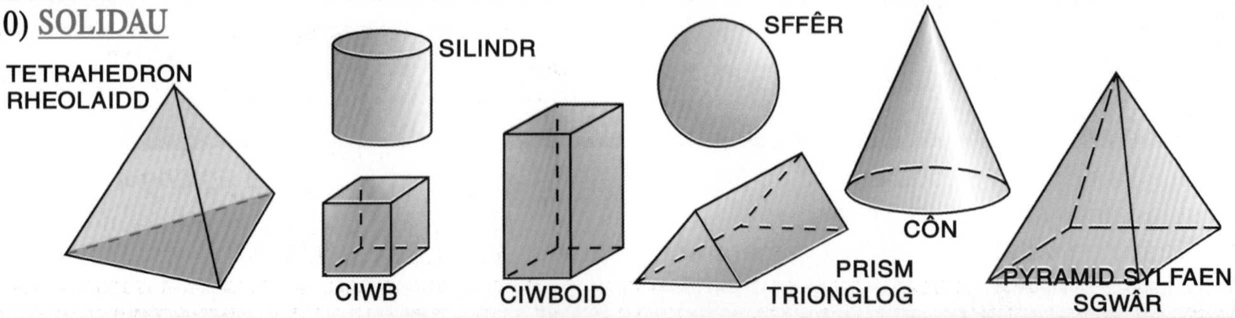

Y Prawf Hollbwysig: DYSGWCH bopeth ar y dudalen hon.

Yna cuddiwch y dudalen ac ysgrifennwch yr holl fanylion y gallwch eu cofio. Yna triwch eto.

Arwynebedd

Efallai y bydd y fformiwlâu hyn y tu mewn i glawr blaen y papur arholiad, ond os na fyddwch yn eu dysgu ymlaen llaw, fyddwch chi ddim yn llwyddo i'w defnyddio nhw'n iawn yn yr arholiad.

MAE'N RHAID I CHI DDYSGU'R FFORMIWLÂU HYN:

1) PETRYAL

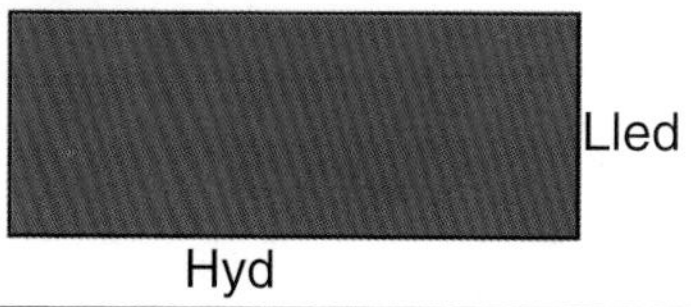

Arwynebedd *PETRYAL* = Hyd × Lled

$$A = H \times Ll$$

2) TRIONGL

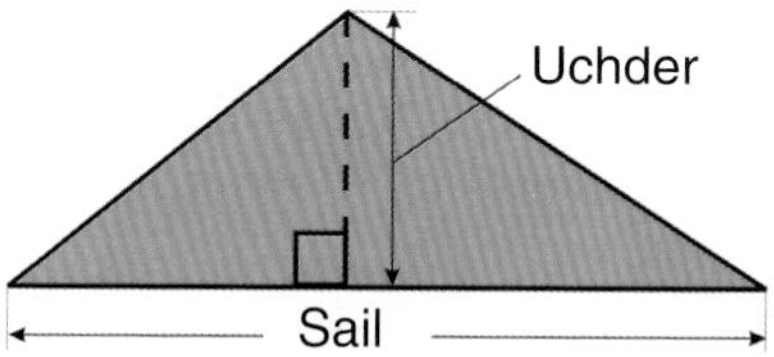

Arwynebedd *TRIONGL* = ½ × Sail × Uchder Fertigol

$$A = \tfrac{1}{2} \times S \times U_F$$

Sylwch fod yr *uchder* bob amser yn golygu'r *uchder fertigol*, nid yr uchder goleddol.

3) PARALELOGRAM

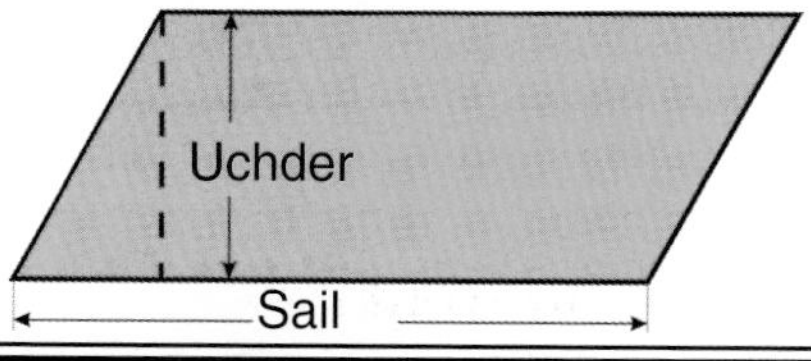

Arwynebedd *PARALELOGRAM* = Sail × Uchder Fertigol

$$A = S \times U_F$$

4) TRAPESIWM

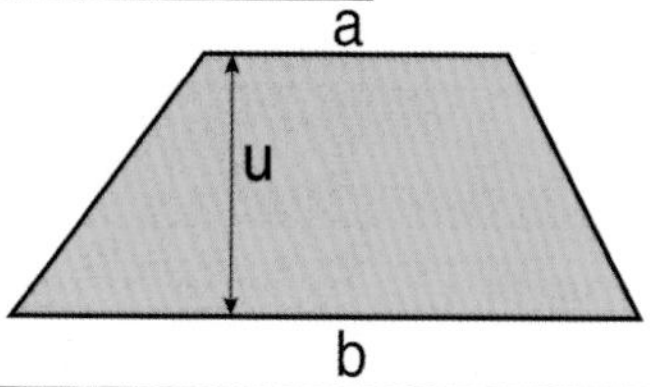

Arwynebedd *TRAPESIWM* = cyfartaledd yr ochrau paralel × y pellter rhyngddynt

$$A = \tfrac{1}{2} \times (a + b) \times u$$

5) CYLCH

π = 3.141592....
= 3.14 (yn fras)

Cylchedd = y pellter o amgylch y tu allan i'r cylch

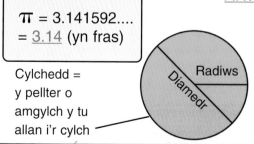

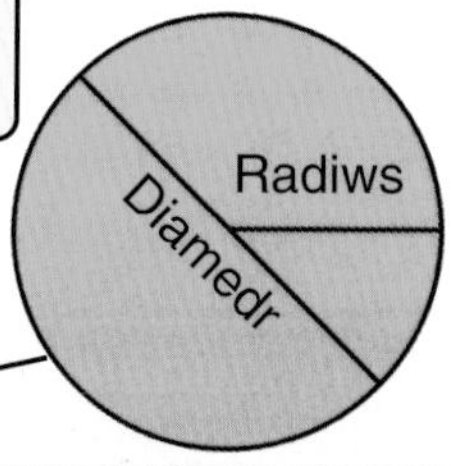

PEIDIWCH Â CHYMYSGU'R DDWY FFORMIWLA HYN!

ARWYNEBEDD CYLCH = π × (radiws)^2

$$A = \pi \times r^2$$

e.e. os yw'r radiws yn 3cm,
A = 3.14 × (3 × 3)
= 28cm^2

CYLCHEDD = π × Diamedr

$$C = \pi \times D$$

Y Prawf Hollbwysig:

DYSGWCH Y DUDALEN HON - yna CUDDIWCH Y DUDALEN AC YSGRIFENNWCH gymaint ag y gallwch ODDI AR EICH COF.

Gwiriwch eich gwaith a rhowch *gynnig arall arni!*

Cwestiynau ar Gylchoedd

1) π "Rhif sydd Ychydig yn Fwy na 3"

Y peth pwysig i'w gofio yw bod π (sef pei) yn edrych yn gymhleth am ei bod yn llythyren o'r wyddor Roeg. Ond yn y pen draw, nid yw'n ddim ond rhif cyffredin (3.141592...) sy'n cael ei dalgrynnu i 3 neu 3.14 neu 3.142 (yn dibynnu ar y manwl gywirdeb sydd ei angen). A dyna'r cwbl ydyw: *RHIF SYDD YCHYDIG YN FWY NA 3*.

2) Y Diamedr yn DDWYWAITH y Radiws

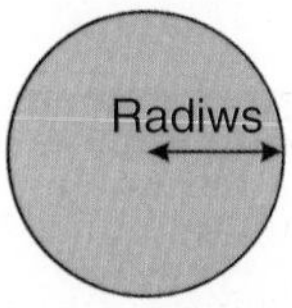

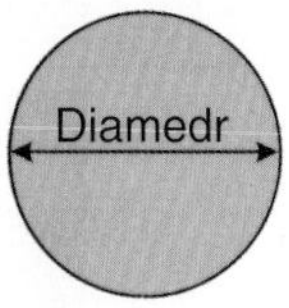

Mae'r *DIAMEDR* yn mynd ar draws y cylch.
Mae'r *RADIWS* yn mynd *hanner ffordd* yn unig ar draws y cylch.

ENGHREIFFTIAU:

Os yw'r radiws yn 4cm, mae'r diamedr yn 8cm. Os yw D = 16cm, mae r = 8cm.
Os yw'r radiws yn 9m, mae'r diamedr yn 18m. Os yw D = 6mm, mae r = 3mm.

3) Arc, Cord a Thangiad

TANGIAD - llinell syth sy'n prin gyffwrdd ag ymyl allanol y cylch.

CORD - llinell a lunnir ar draws y tu mewn i gylch.

ARC - rhan o gylchyn cylch.

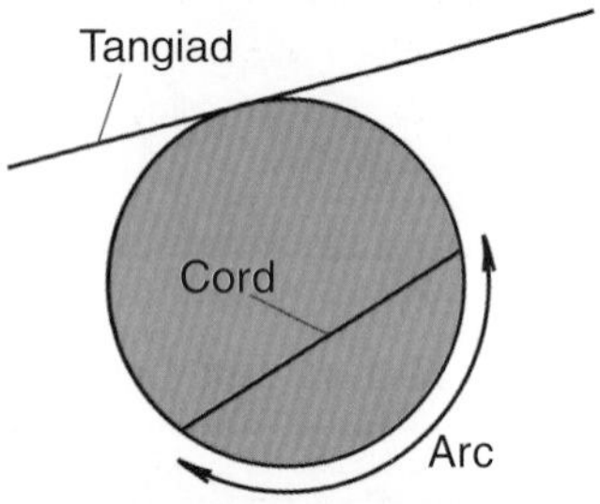

4) Y Penderfyniad Mawr:

"Pa un o'r fformiwlâu cylch y dylwn ei defnyddio?"

CYFRIFO ARWYNEBEDD NEU GYLCHEDD - Cofiwch fod yna wahaniaeth!

1) Os ydy'r cwestiwn yn gofyn am "arwynebedd y cylch", RHAID defnyddio'r FFORMIWLA AR GYFER ARWYNEBEDD:

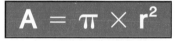

$$\mathbf{A = \pi \times r^2}$$

2) Os ydy'r cwestiwn yn gofyn am "gylchedd" (y pellter o amgylch y cylch) RHAID defnyddio'r FFORMIWLA AR GYFER CYLCHEDD:

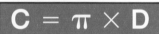

$$\mathbf{C = \pi \times D}$$

COFIWCH nad yw'n gwneud dim gwahaniaeth p'un ai'r radiws neu'r diamedr sy'n cael ei roi i chi, mae'n hawdd iawn cyfrifo'r llall.

ENGHRAIFFT: "Darganfyddwch gylchedd ac arwynebedd y cylch a ddangosir isod."

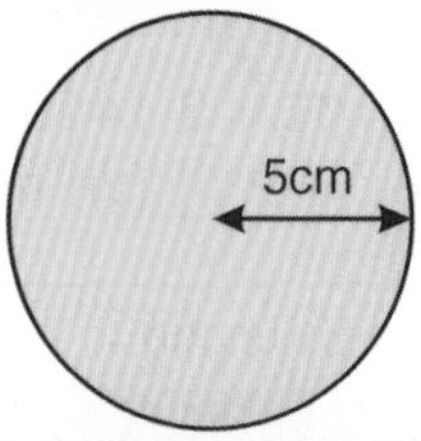

ATEB: Radiws = 5cm, felly Diamedr = 10cm (hawdd!)

Fformiwla CYLCHEDD yw:

$C = \pi \times D$, felly
$C = 3.14 \times 10$
$= 31.4$cm

Fformiwla ARWYNEBEDD yw:

$A = \pi \times r^2$
$= 3.14 \times (5 \times 5)$
$= 3.14 \times 25 = 78.5\text{cm}^2$

Y Prawf Hollbwysig:

Mae 4 RHAN i'r dudalen hon. Maen nhw i gyd yn bwysig iawn - DYSGWCH NHW.

Yna cuddiwch y dudalen ac *ysgrifennwch* bopeth rydych wedi'i ddysgu.

1) Diamedr olwyn yw 1m. Darganfyddwch arwynebedd a chylchedd yr olwyn gan ddefnyddio'r dulliau rydych newydd eu dysgu. Cofiwch ddangos eich holl waith cyfrifo.
2) Radiws bwrdd crwn yw 60cm. Darganfyddwch arwynebedd a chylchedd y bwrdd.

Perimedrau ac Arwynebeddau

1) *Perimedrau Siapiau Cymhleth*

Gwnewch yn siŵr eich bod yn gwybod y *manylion hanfodol* hyn am berimedr:

1) Perimedr yw'r pellter *yr holl ffordd o amgylch siâp 2D*.

2) I ddarganfod *PERIMEDR*, mae'n rhaid *ADIO HYD POB OCHR*, ond ... *YR UNIG FFORDD DDIBYNADWY* o wneud yn siŵr eich bod yn cynnwys pob ochr yw hyn:

> 1) Rhowch smotyn mawr ar un gornel ac yna ewch o amgylch y siâp.
> 2) Ysgrifennwch hyd pob ochr wrth i chi fynd o amgylch y siâp.
> 3) Os nad yw hyd rhai ochrau wedi'i roi – mae'n rhaid i chi eu cyfrifo.
> 4) Daliwch ati hyd nes y byddwch wedi dod yn ôl at y SMOTYN.

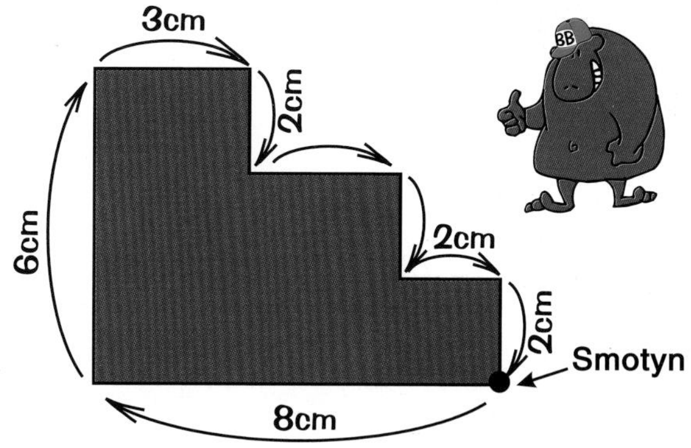

e.e. 8 + 6 + 3 + 2 + 3 + 2 + 2 + 2 = 28cm

Efallai y byddwch yn meddwl bod hwn yn ddull trafferthus, ond credwch fi, mae'n hawdd iawn 'colli' ochr. Mae'n bwysig defnyddio DULLIAU DA A DIBYNADWY ar gyfer POPETH - neu fe gollwch lawer o farciau.

2) *Arwynebeddau Siapiau Cymhleth*

> 1) RHANNWCH NHW yn ddarnau gan ddefnyddio'r 3 siâp sylfaenol: PETRYAL, TRIONGL A CHYLCH.
> 2) Cyfrifwch arwynebedd pob darn AR WAHÂN.
> 3) Yna ADIWCH Y CWBL (weithiau bydd angen TYNNU).

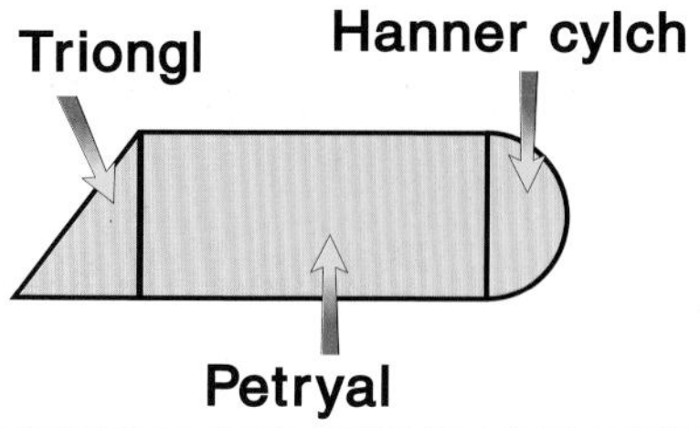

ENGHRAIFFT: *Cyfrifwch arwynebedd y siâp hwn*:

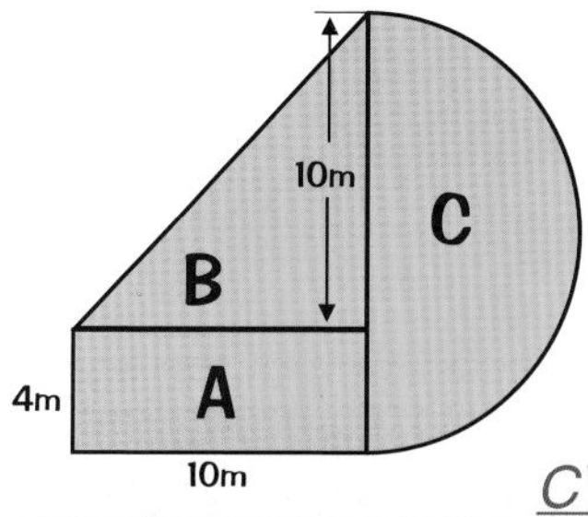

ATEB:

Petryal A:	Triongl B:	Hanner cylch C:
Arwynebedd =	Arwynebedd =	Arwynebedd =
Hyd × Lled	$\frac{1}{2}$ × Sail × Uchder	$(\pi \times r^2) \div 2$
= 10 × 4	= $\frac{1}{2}$ × 10 × 10	$=(3.14 \times 7^2) \div 2$
= $40m^2$	= $50m^2$	= $76.93m^2$

CYFANSWM YR ARWYNEBEDD = 40 + 50 + 76.93 = $166.93\ m^2$

Y Prawf Hollbwysig: **DYSGWCH Y RHEOLAU ar gyfer darganfod perimedr ac arwynebedd siâpiau cymhleth.**

1) *Cuddiwch y dudalen ac ysgrifennwch* yr hyn rydych wedi'i ddysgu.

2) Darganfyddwch berimedr ac arwynebedd y siâp a ddangosir yma:

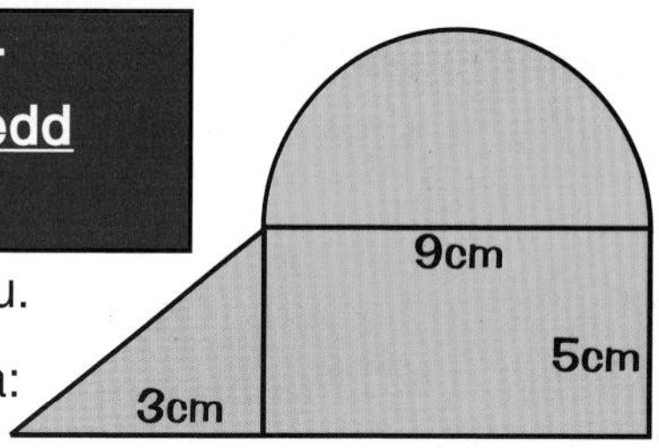

Cyfaint (Cynhwysedd)

CYFEINTIAU — MAE'N RHAID DYSGU'R RHAIN HEFYD!

1) CIWBOID (BLOC PETRYAL)

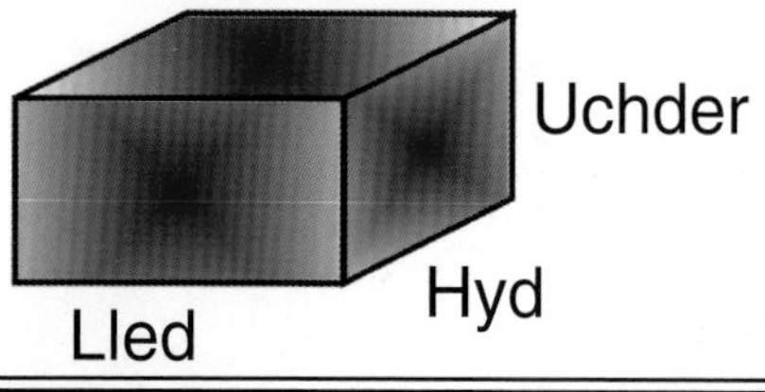

Cyfaint Ciwboid = Hyd × Lled × Uchder

C = H × Ll × U

(Y gair arall am gyfaint yw *CYNHWYSEDD*)

2) PRISM

PRISM yw gwrthrych solet (3D) sydd ag arwynebedd trawstoriad cyson - h.y. mae'r siâp yr un fath ar ei hyd.

Am ryw reswm, dydy llawer o bobl ddim yn gwybod beth yw prism, ond ceir cwestiwn ar brismau yn aml mewn arholiadau, felly gwnewch yn siŵr eich bod CHI yn gwybod beth ydynt.

Prism Crwn
(neu Silindr)

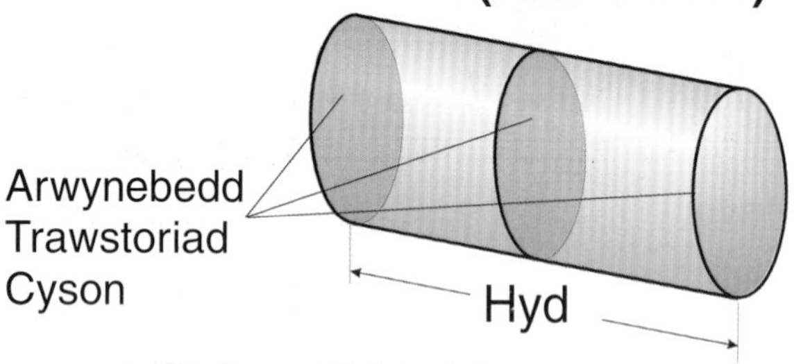

Prism Hecsagonol
(un fflat, yn wir, ond mae'n dal i fod yn brism)

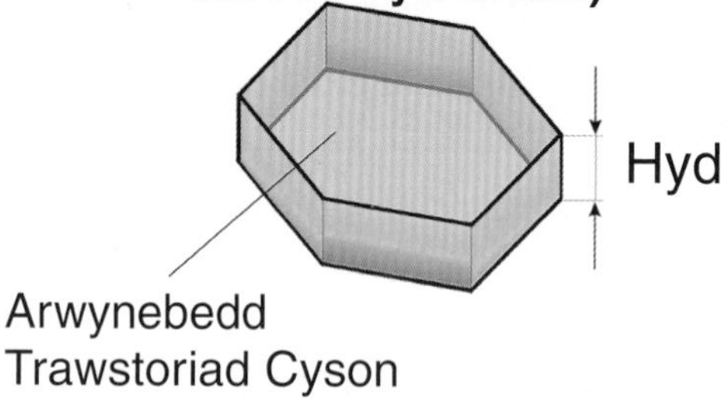

Prism Trionglog

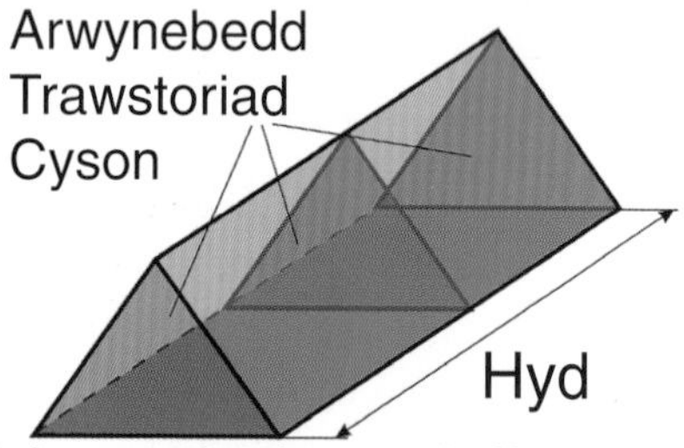

Cyfaint prism = Arwynebedd Trawstoriad × Hyd

C = A × H

Fel y gwelwch, mae'r fformiwla ar gyfer cyfaint prism yn *syml iawn*.
Y rhan *anodd*, fel arfer, yw *darganfod arwynebedd y trawstoriad*.

Y Prawf Hollbwysig:

DYSGWCH hyn i gyd a cheisio'i ysgrifennu. Daliwch ati nes y byddwch yn llwyddo.

Dylech ymarfer y ddau gwestiwn canlynol nes y gallwch fynd drwy'r holl gamau'n rhwydd. Enwch y siapiau a darganfyddwch eu cyfeintiau:

a)

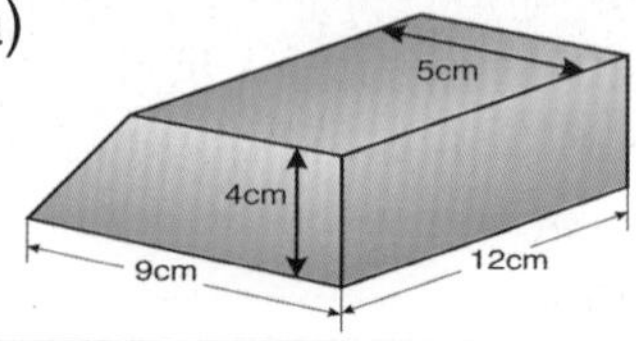

b)

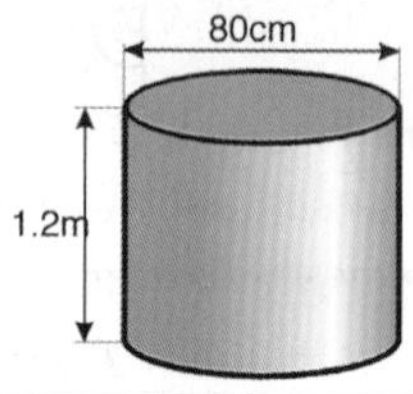

Solidau a Rhwydi

Mae angen i chi wybod ystyr *Wyneb*, *Ymyl* a *Fertig*:

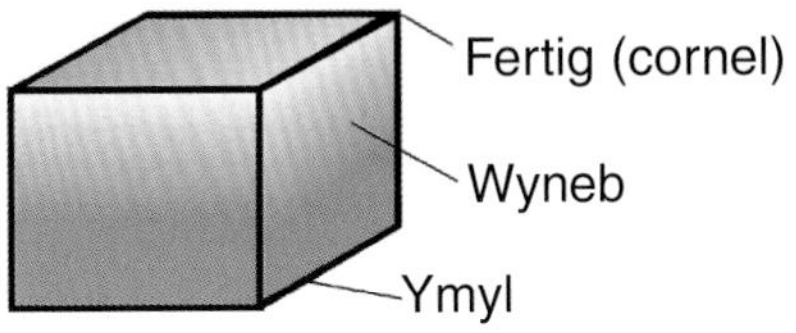

Arwynebedd Arwyneb a Rhwydi

1) Dim ond ar gyfer gwrthrychau solet 3D y defnyddir ARWYNEBEDD ARWYNEB. Mae'n golygu *cyfanswm arwynebedd yr holl arwynebau allanol*. Pe baech yn peintio'r gwrthrych, dyma'r holl ddarnau y byddech yn eu peintio!
2) Does dim fformiwla syml ar gyfer arwynebedd arwyneb - *mae'n rhaid i chi gyfrifo arwynebedd pob ochr fesul un ac yna* ADIO NHW.
3) RHWYD yw SIÂP SOLET WEDI'I AGOR ALLAN YN FFLAT.
4) Felly, yn amlwg: ARWYNEBEDD ARWYNEB SOLID = ARWYNEBEDD RHWYD.

Mae 4 rhwyd y mae angen i chi eu gwybod yn dda ar gyfer yr arholiad ac fe'u dangosir isod. Mae'n eithaf posibl y gofynnir i chi lunio un o'r rhain ac yna cyfrifo ei harwynebedd.

1) Prism Trionglog

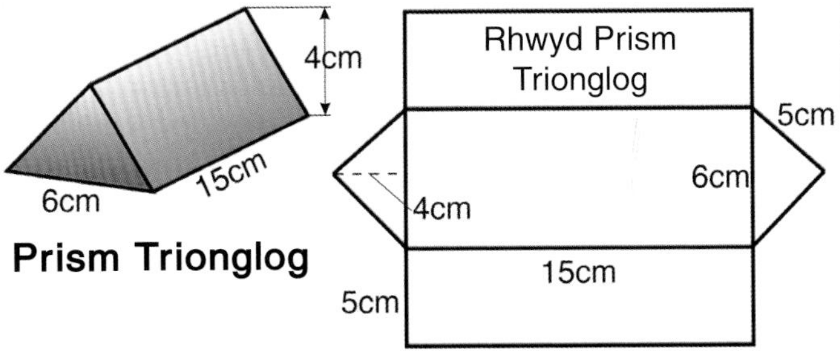

2) Ciwb

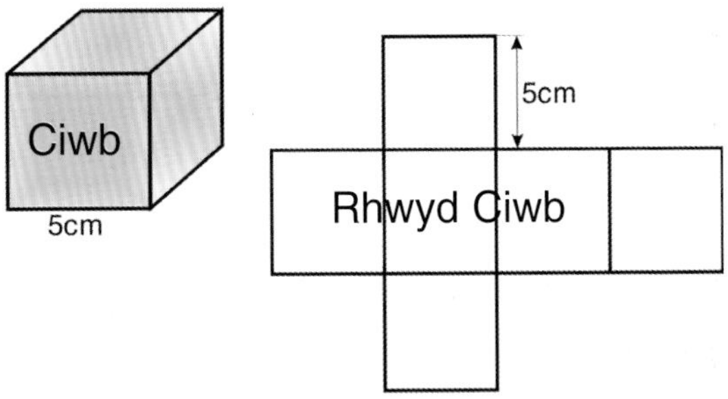

3) Ciwboid

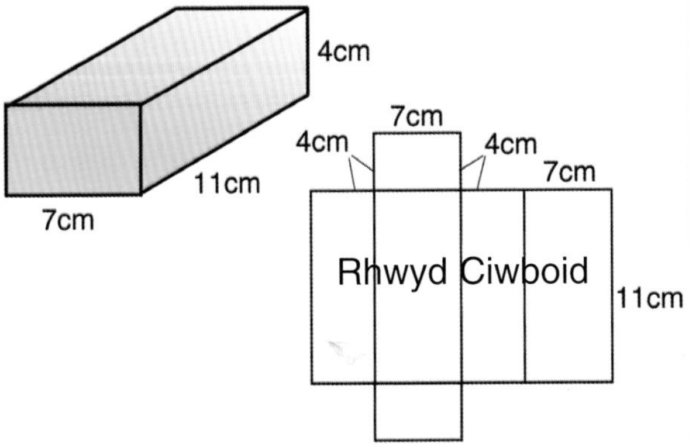

4) Pyramid

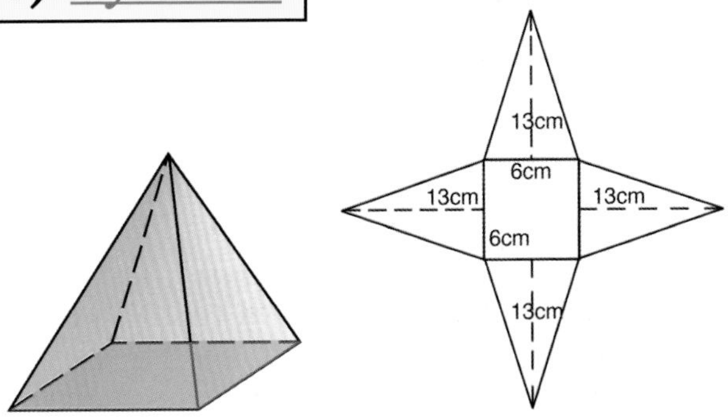

Pyramid Sylfaen Sgwâr

Rhwyd Pyramid Sylfaen Sgwâr

Y Prawf Hollbwysig:

DYSGWCH y 4 manylyn ynglŷn ag Arwynebedd Arwyneb a Rhwydi a'r PEDAIR RHWYD ar y dudalen hon, a hefyd y diagram bach ar dop y dudalen.

Yna cuddiwch y dudalen ac ysgrifennwch bopeth rydych wedi'i ddysgu.
1) Cyfrifwch arwynebedd y pedair rhwyd a ddangosir uchod.

Geometreg

8 Rheol Syml - dyna'r cwbl:

Os byddwch yn gwybod y rhain I GYD – YN IAWN, bydd gennych obaith da o ddatrys problemau ynglŷn â llinellau ac onglau. *Os na fyddwch yn eu gwybod - does gennych ddim gobaith*.

1) Onglau mewn triongl

Maen nhw'n adio i 180°.

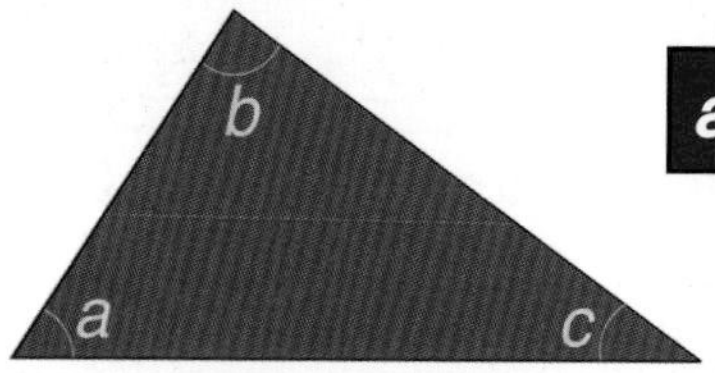

$a+b+c=180°$

2) Onglau ar linell syth

Maen nhw'n adio i 180°.

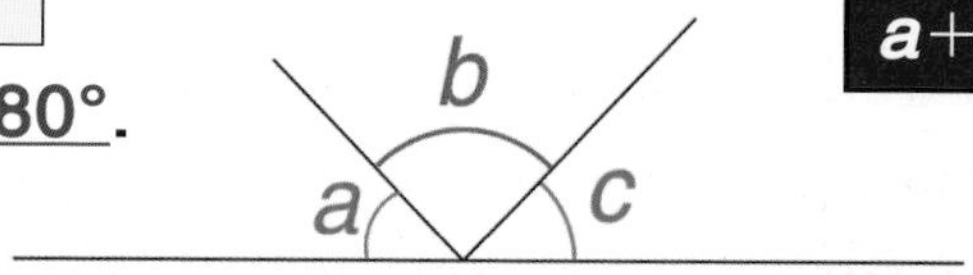

$a+b+c=180°$

3) Onglau mewn siâp 4 ochr

("Pedrochr")

Maen nhw'n adio i 360°.

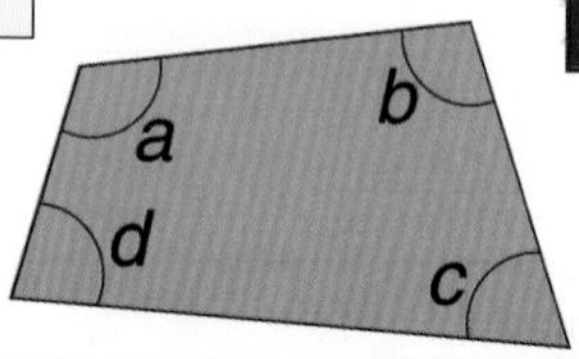

$a+b+c+d=360°$

4) Onglau o gwmpas pwynt

Maen nhw'n adio i 360°.

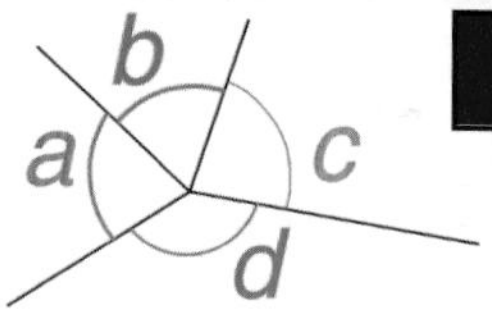

$a+b+c+d=360°$

5) Ongl Allanol Triongl

Ongl allanol triongl
= cyfanswm yr onglau mewnol cyferbyn

h.y. $a+b=d$

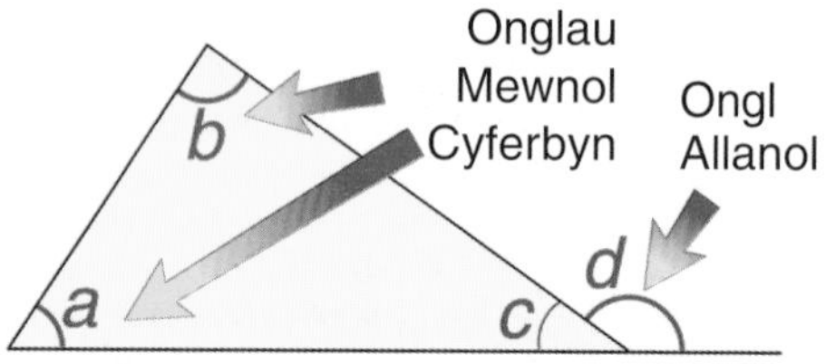

6) Triongl Isosgeles

2 ochr yr un fath
2 ongl yr un fath

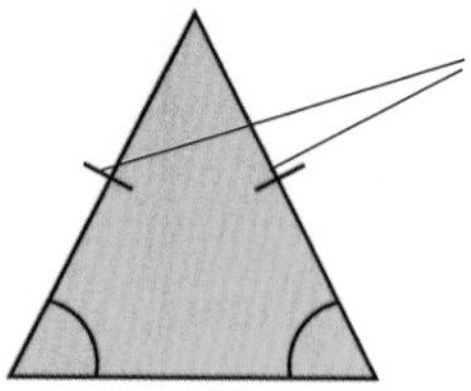

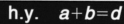

Mae'r marciau hyn yn dangos dwy ochr o'r un hyd.

Mewn triongl isosgeles, DIM OND UN ONGL SYDD ANGEN I CHI EI GWYBOD er mwyn darganfod y ddwy ongl arall. COFIWCH HYNNY.

a)

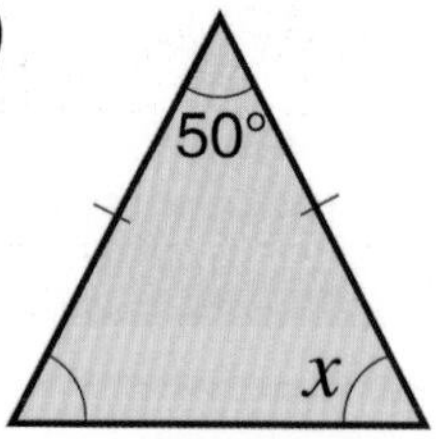

Mae'r ddwy ongl sail yr un faint ac mae'n rhaid iddynt adio i 130°, felly mae'r naill a'r llall yn hanner 130° (=65°). Felly $x = 65°$.

b)

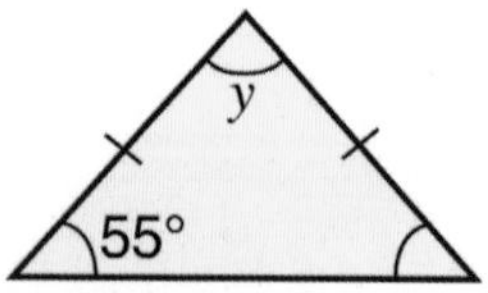

Mae'r ddwy ongl sail yr un faint, felly 55° + 55° = 110°.
Mae'r onglau i gyd yn adio i 180°.
Felly $y = 180° - 110° = 70°$.

Geometreg

7) Llinellau Paralel

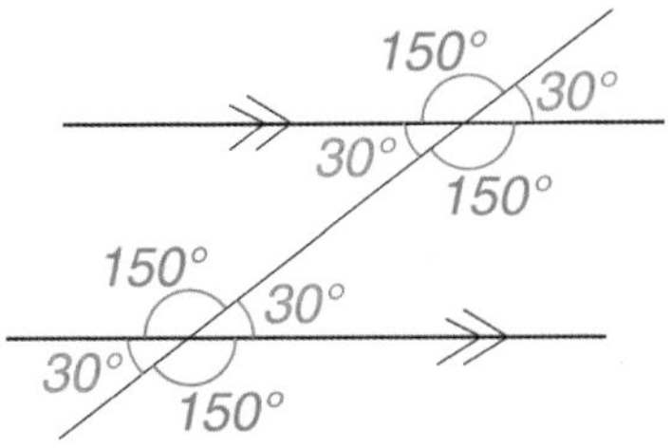

Pan fydd un llinell yn croesi 2 linell baralel, bydd yr onglau wrth y croesiadau yn hafal.
(Mae'r saethau'n golygu bod y ddwy linell yn baralel.)

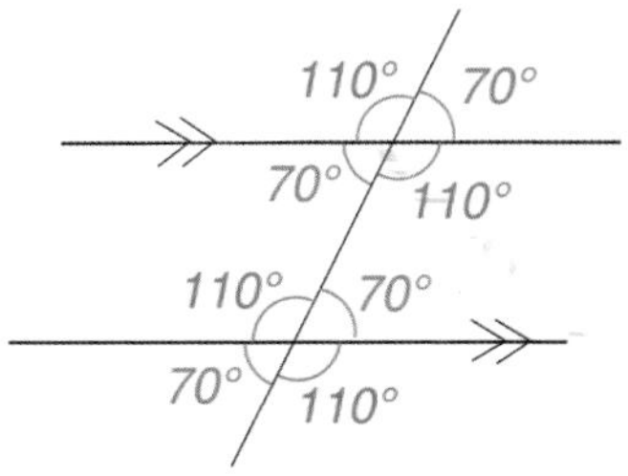

Pan fydd gennych DDWY LINELL BARALEL *dim ond dwy ongl wahanol sydd*: UN FACH ac UN FAWR ac maen nhw BOB AMSER YN ADIO I 180°, e.e. 30° a 150° neu 70° a 110°.

Y peth mwyaf trafferthus ynglŷn â llinellau paralel yw dod o hyd iddynt yn y lle cyntaf - edrychwch am siapiau "Z", "C", "U", "F".

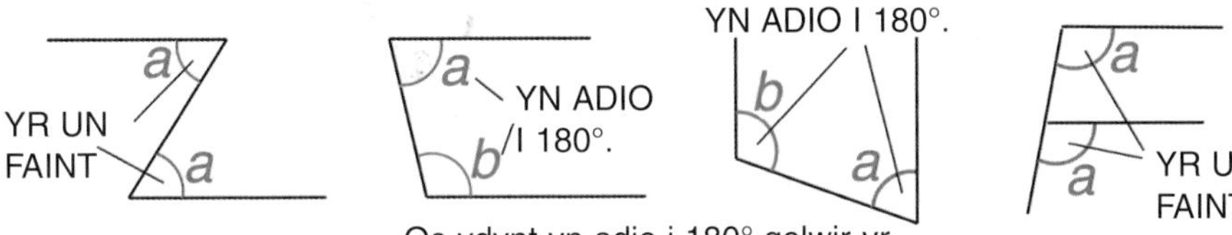

Mewn siâp Z gelwir yr onglau yn "ONGLAU EILEDOL".

Os ydynt yn adio i 180° gelwir yr onglau yn "ONGLAU ATODOL".

Mewn siâp F gelwir yr onglau yn "ONGLAU CYFATEBOL".

Mae'n rhaid i chi ddysgu'r enwau hyn hefyd.

Os oes angen, ESTYNNWCH Y LLINELLAU er mwyn hwyluso'r gwaith

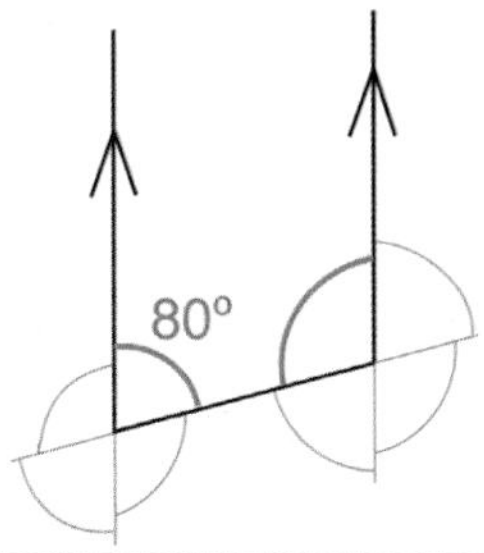

8) Polygonau Afreolaidd: Onglau Mewnol ac Allanol

Yn syml, unrhyw siâp sydd â llawer o ochrau syth nad ydynt i gyd o'r un hyd yw polygon afreolaidd. Dylech wybod y ddwy fformiwla hyn:

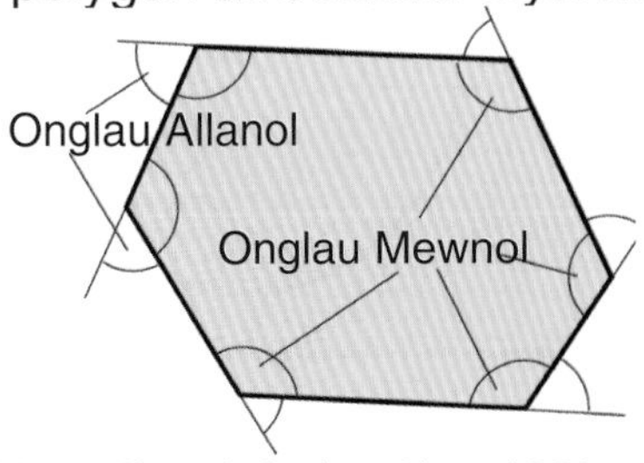

Swm yr onglau allanol = 360°.

Swm yr onglau mewnol = $(n - 2) \times 180°$
lle mae n yn dynodi nifer yr ochrau

Mae'r fformiwla $(n - 2) \times 180°$ yn deillio o rannu'r tu mewn i'r polygon yn drionglau gan ddefnyddio croesliniau llawn. Mae pob triongl yn cynnwys 180°, felly y cwbl sydd angen ei wneud yw rhifo'r trionglau a lluosi â 180°. Bydd nifer y trionglau bob amser 2 yn llai na nifer yr ochrau, a hyn sy'n rhoi $(n - 2)$.

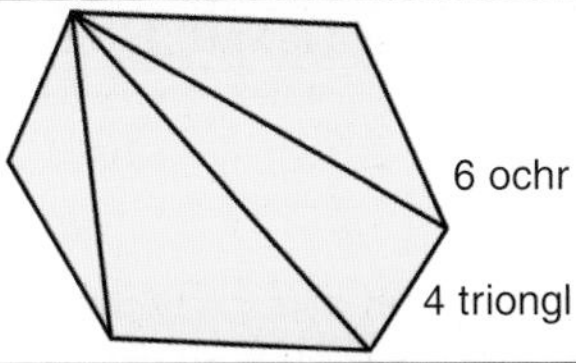

Y Prawf Hollbwysig:

DYSGWCH BOPETH ar y ddwy dudalen hyn. Yna cuddiwch y tudalennau a gweld faint y gallwch ei ysgrifennu.

1) Mewn triongl isosgeles yr ongl rhwng y ddwy ochr hafal yw 40°. Faint yw'r ddwy ongl arall?
2) Darganfyddwch faint onglau *a* a *b* yn y diagram.
3) Beth yw swm onglau mewnol polygon 5-ochr?
4) Yn un o'r diagramau uchod gwelir bod un ongl yn 80°. Beth yw maint yr onglau eraill?

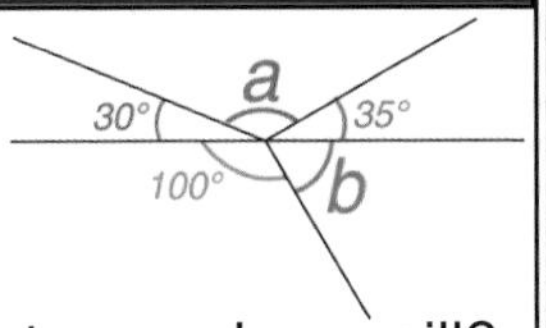

Geometreg y Cylch

Pedair Rheol Syml — dyna i gyd:

Mae'n rhaid dysgu'r rhain hefyd er mwyn gallu datrys problemau ynglŷn â chylchoedd.

1) ONGL MEWN HANNER CYLCH = 90°

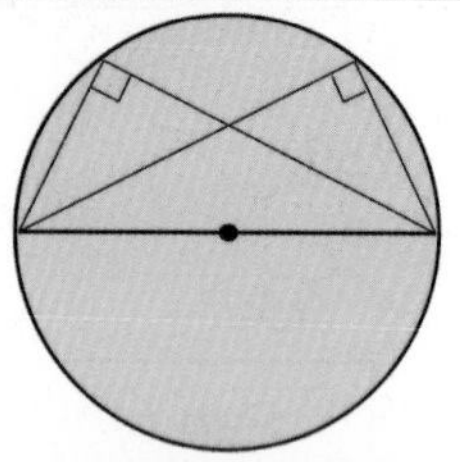

Bydd triongl sy'n cael ei lunio o ddau ben diamedr BOB AMSER yn gwneud ongl o 90° yn y man lle bydd yn cyffwrdd ag ymyl y cylch, ble bynnag y bydd hynny.

2) MAE TANGIAD A RADIWS YN CYFARFOD AR 90°

Llinell sy'n prin gyffwrdd ag ymyl cromlin yw TANGIAD. Os bydd tangiad a radiws yn cyfarfod yn yr un pwynt, bydd yr ongl rhyngddynt yn UNION 90°.

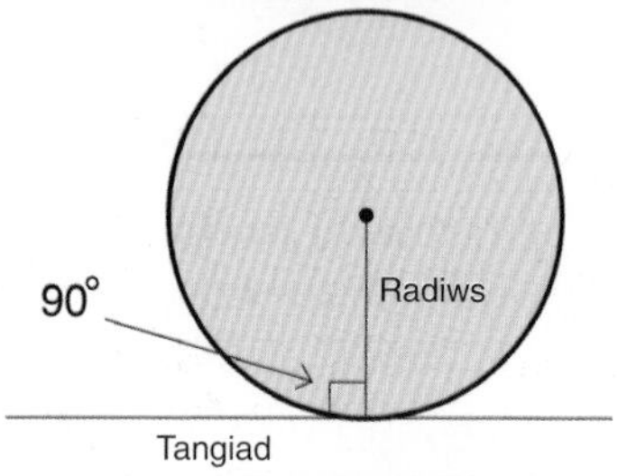

3) TRIONGLAU ISOSGELES SY'N CAEL EU FFURFIO GAN DDAU RADIWS

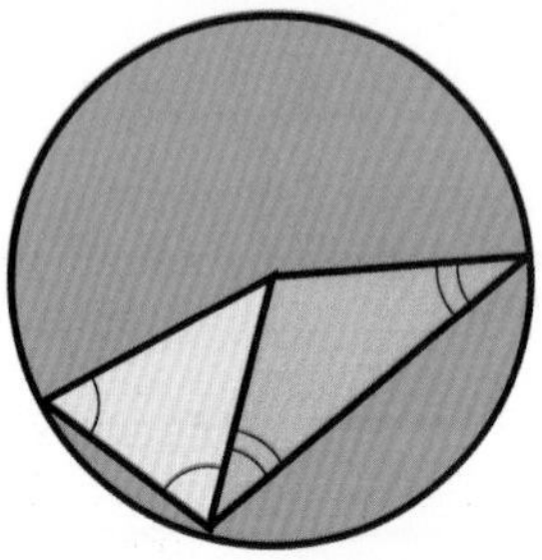

Yn wahanol i drionglau isosgeles eraill, does dim marciau bach ar yr ochrau i'ch atgoffa eu bod o'r un hyd - mae'r ffaith mai dau radiws sydd yma yn ddigon i wneud y triongl yn isosgeles.

4) MAE HANERYDD PERPENDICWLAR CORD YN DDIAMEDR

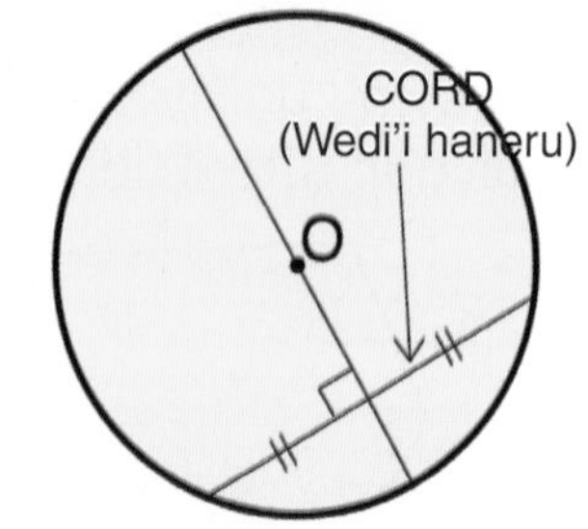

Unrhyw linell sydd wedi'i thynnu ar draws cylch yw CORD. Ble bynnag mae cord, bydd y llinell sy'n ei dorri'n union yn ei hanner (ar ongl o 90°) yn mynd trwy ganol y cylch ac felly mae'n rhaid mai DIAMEDR fydd hi.

5) OS BYDDWCH YN CAEL ANHAWSTER...

Mae'n ddigon hawdd syllu ar broblem geometrig a bod ar goll yn llwyr - OS BYDD HYN YN DIGWYDD, gwnewch y canlynol:

EWCH DRWY'R DEUDDEG RHEOL, FESUL UN, a CHYMHWYSO POB UN OHONYNT YN EI THRO mewn cynifer o ffyrdd ag sy'n bosibl - *BYDD UN OHONYNT YN SIŴR O WEITHIO.*

Y Prawf Hollbwysig:

Dysgwch y 4 Rheol ynghyd â'r 8 Rheol ar y ddwy dudalen flaenorol. Yna cuddiwch y tudalennau ac ysgrifennwch nhw i gyd.

Gwiriwch eich ymdrech a rhowch gynnig arall arni - a daliwch ati nes y byddwch yn llwyddo!

Nodiant Tair Llythyren ar gyfer Onglau

Defnyddio Tair Llythyren i Ddynodi Onglau

Y ffordd orau o ddynodi ongl mewn diagram yw trwy ddefnyddio TAIR llythyren. Er enghraifft, yn y diagram ar y dde, ongl ACB = 25°.

Dyma'r dull a ddefnyddir yn yr arholiad - felly gwnewch yn siŵr eich bod yn gyfarwydd ag ef. Mae'n syml iawn:

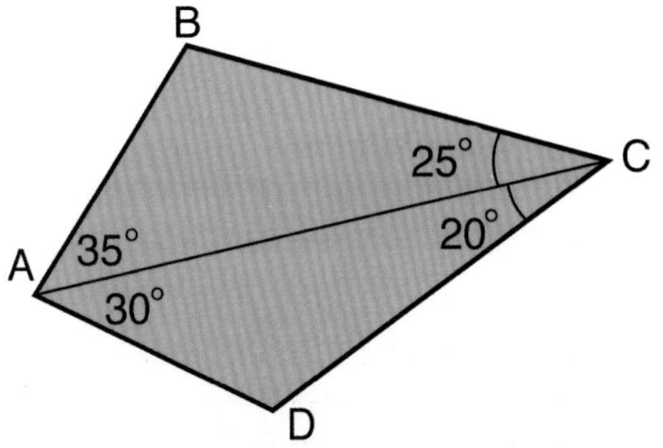

1) Y LLYTHYREN GANOL sy'n dynodi lleoliad yr ongl.
2) Mae'r DDWY LYTHYREN ARALL yn dangos PA DDWY LINELL sy'n cynnwys yr ongl.

ENGHREIFFTIAU O'R DIAGRAM UCHOD:

1) Mae ongl BCD yn C ac yn CAEL EI CHYNNWYS gan y llinellau BC a CD (rydych yn rhannu BCD yn BC-CD). Felly ongl BCD = 45°.
2) Mae ongl ACD (AC-CD) yn C ac yn CAEL EI CHYNNWYS gan y llinellau AC ac AD. ACD = 20°.

Cwestiwn Eithaf Anodd

- sy'n Egluro'r nodiant 3 llythyren ar gyfer Onglau

CWESTIWN: "Darganfyddwch yr holl onglau yn y diagram hwn."

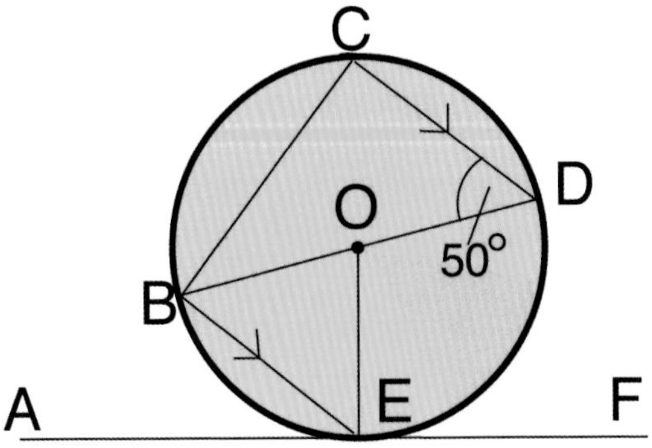

ATEB:

1) BCD = 90° (Ongl mewn hanner cylch)
2) Felly CBO = 40° (Onglau triongl = 180°)
3) OBE = ODC (= 50°) (Llinellau paralel siâp Z)
4) OEB = OBE (= 50°) (OEB yn driongl isosgeles - dau radiws)
5) BOE = 80° (Onglau mewn triongl: 180 - 50 - 50 = 80)
6) OEF = 90° (Tangiad a radiws yn cyfarfod ar 90°)
7) AEB = 40° (90° - OEB)

Y Prawf Hollbwysig:

DYSGWCH ystyr nodiant 3 llythyren. Yna cuddiwch y dudalen a rhowch enghraifft ohono.

1) Edrychwch ar y diagram ar ben y dudalen a nodwch faint ongl BAC. Rhowch hefyd y nodiant 3 llythyren ar gyfer yr onglau sy'n a) 30° a b) 65°.
2) *Defnyddiwch yr enghraifft* uchod i ymarfer nes y byddwch yn deall pob cam ac yn gallu gwneud hyn eich hun heb gymorth y nodiadau - daliwch ati nes y byddwch yn llwyddo.

Hyd, Arwynebedd a Chyfaint

Adnabod Fformiwlâu wrth Edrych Arnynt

Dydy hyn ddim mor wael ag y mae'n swnio, gan mai dim ond y fformiwlâu ar gyfer 3 pheth rydym yn sôn:

HYD, ARWYNEBEDD, CYFAINT

Mae'r rheolau'n syml:

Mae FFORMIWLÂU ARWYNEBEDD bob amser yn cynnwys HYDOEDD WEDI'U LLUOSI MEWN PARAU
Mae FFORMIWLÂU CYFAINT bob amser yn cynnwys HYDOEDD WEDI'U LLUOSI MEWN GRWPIAU O DRI
Mae FFORMIWLÂU HYD (megis perimedr) bob amser yn cynnwys HYDOEDD A GEIR YN UNIGOL.

Mewn fformiwlâu, wrth gwrs, DYNODIR HYDOEDD GAN LYTHRENNAU. Felly pan fyddwch yn edrych ar fformiwla byddwch yn chwilio am:
GRWPIAU O LYTHRENNAU WEDI'U LLUOSI Â'I GILYDD yn *UNIGOL*, yn *DDEUOEDD* neu yn *DRIOEDD*. OND COFIWCH: NID YW π yn hyd.

Enghreifftiau:

(cofiwch mai r^2 yw $r \times r$)

$6dw + \pi r^2 + 5d^2$ (arwynebedd) $6\pi d - 8r/5$ (hyd)
$2d^2w - 5t^3/4$(cyfaint) $4\pi r^2 + 9d^2$(arwynebedd)
$4\pi r + 12L$ (hyd) $Lwh + 8k^3$ (cyfaint)

Byddwch yn ofalus gyda'r ddwy enghraifft nesaf: (Pam maen nhw'n anodd?)

$7c(3c + d)$ (arwynebedd) $3\pi h(F^2 + 4G^2)$ (cyfaint)

Tair Ffaith Ychwanegol

1) *Siâp pedair ochr* yw *PEDROCHR* - *unrhyw* siâp pedair ochr.
Felly mae sgwariau, petryalau, paralelogramau, etc. i gyd yn *BEDROCHRAU*.
Pedrochrau yw'r ddau a ddangosir yma hefyd:

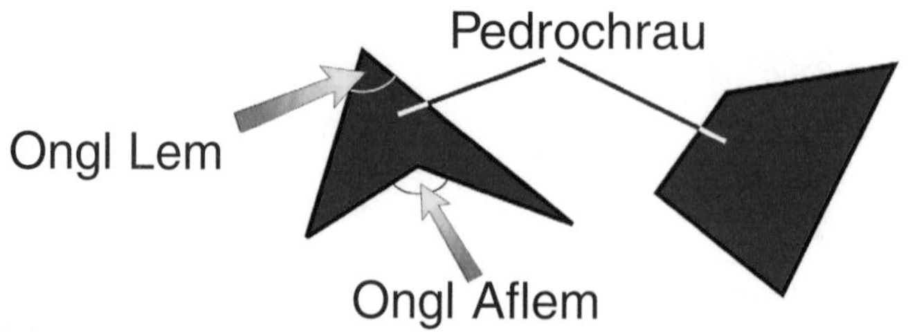

2) Mae *ONGL LEM* yn *ongl siarp a phigog* (rhwng 0° a 90°).
3) Mae *ONGL AFLEM* yn fwy *fflat* (rhwng 90° a 180°).

Y Prawf Hollbwysig:

DYSGWCH y Rheolau a'r 3 Ffaith Ychwanegol. Cuddiwch y dudalen ac ysgrifennwch nhw.

1) Nodwch ai arwynebedd neu gyfaint neu berimedr yw pob un o'r mynegiadau canlynol:
πr^2, Lwh, πd, $1/2bh$, $2bh + 3bd$, $4r^2h + \pi d^3$, $2\pi r(2a + 3b)$

Cyflunedd a Helaethiad

Cyfath a Chyflun

Mae *cyfath* yn air mathemategol arall sy'n swnio'n gymhleth, ond nid yw'n gymhleth mewn gwirionedd. Os ydy dau siâp yn *GYFATH*, maen nhw *yr un fath yn union* - *yr un maint a'r un siâp*. Dyna'r ystyr yn syml.

CYFATH

– yr un maint, yr un siâp
Mae A, B a C yn GYFATH
(â'i gilydd)

CYFLUN

– yr un siâp, ond *maint gwahanol*

Mae D ac E yn GYFLUN (ond nid yn gyfath)

Cofiwch: pan fydd gennych siapiau *cyflun*,
bydd yr onglau cyfatebol bob amser o'r un maint.

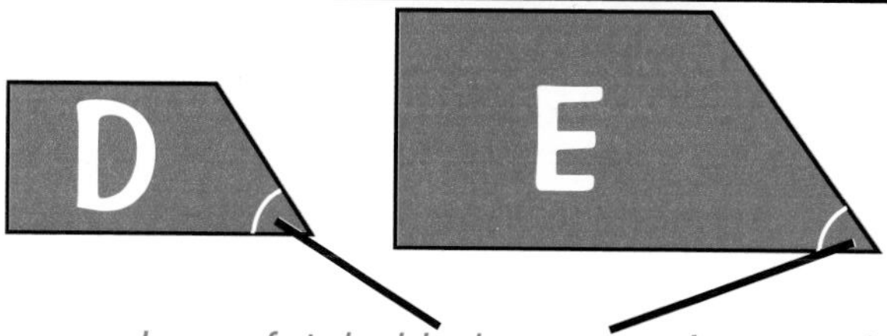

Arwynebedd a Chyfaint Helaethiad

Byddwch yn ofalus gyda'r canlynol. Mae'r cynnydd mewn arwynebedd a chyfaint yn FWY na'r ffactor graddfa. Mae'r rheol yn syml:

Ar gyfer helaethiad o Ffactor Graddfa n:

Mae'r OCHRAU n **gwaith cymaint**
Mae'r ARWYNEBEDDAU n^2 **gwaith cymaint**
Mae'r CYFEINTIAU n^3 **gwaith cymaint**

Syml... ond hawdd ei anghofio.

ER ENGHRAIFFT, *os yw'r Ffactor Graddfa yn 2:*

1) mae'r hydoedd yn DDWYWAITH CYMAINT ($n = 2$)
2) mae pob arwynebedd yn 4 GWAITH CYMAINT ($n^2 = 4$)
3) mae'r cyfaint yn 8 GWAITH CYMAINT ($n^3 = 8$)
fel y dangosir yn y diagram

Y cwbl sydd raid i CHI ei wneud yw COFIO hyn!

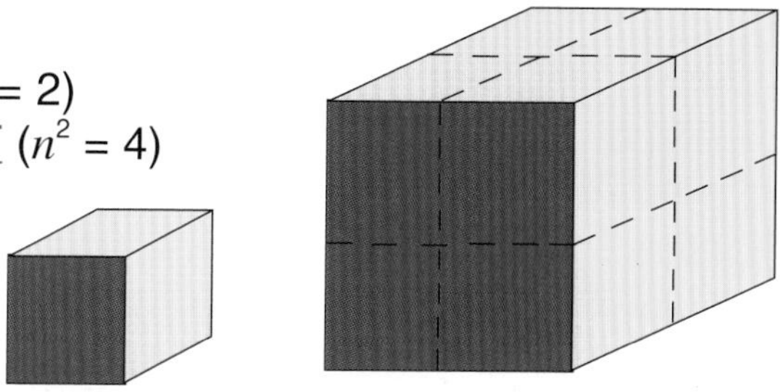

Y Prawf Hollbwysig:

DYSGWCH ystyr "CYFLUN" a "CHYFATH" a'r 3 Rheol ar gyfer CYNNYDD MEWN ARWYNEBEDD A CHYFAINT.

Yna cuddiwch y dudalen ac ysgrifennwch yr hyn rydych wedi'i ddysgu - a'i GOFIO am byth!

1) Mae diamedr pêl dennis deirgwaith yn fwy na diamedr pêl dennis bwrdd. Os yw cyfaint y bêl dennis bwrdd yn 20cm^3, beth yw cyfaint y bêl dennis?

Helaethiad - Y 4 Nodwedd Allweddol:

1) Os ydy'r Ffactor Graddfa yn FWY NAG 1, mae'r siâp yn mynd yn FWY.

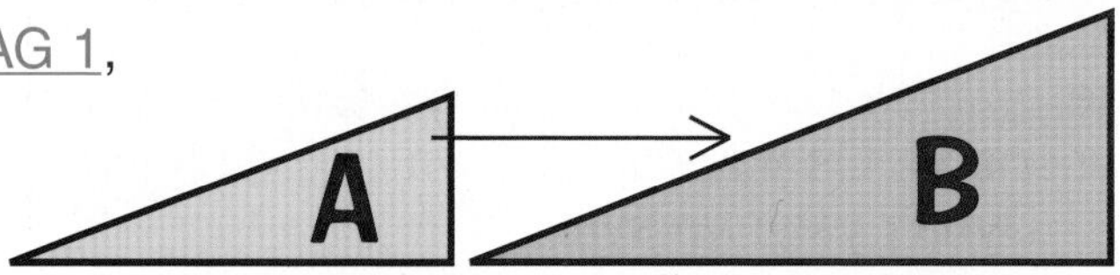

Mae A i B yn Helaethiad, Ffactor Graddfa $1\frac{1}{2}$

2) Os ydy'r Ffactor Graddfa yn LLAI NAG 1 (h.y. ffracsiwn fel $\frac{1}{2}$), mae'r siâp yn mynd yn LLAI.

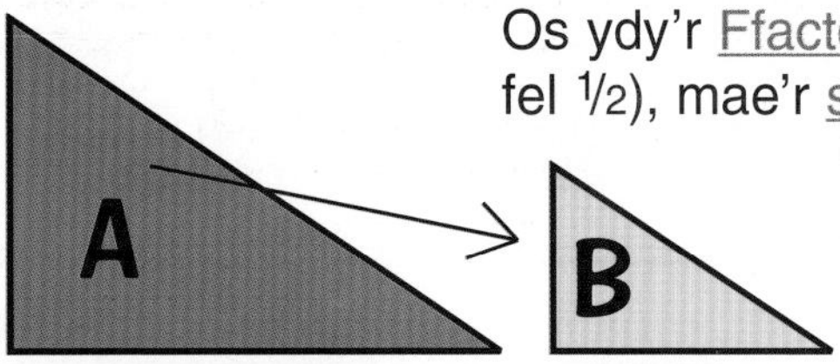

Mae A i B yn Helaethiad, Ffactor Graddfa $\frac{1}{2}$

(Mewn gwirionedd, *gostyngiad* yw hwn, ond er hynny fe'i gelwir yn Helaethiad, Ffactor Graddfa $\frac{1}{2}$)

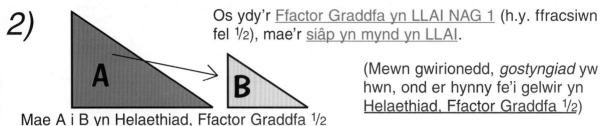

3) Helaethiad Ffactor Graddfa 3

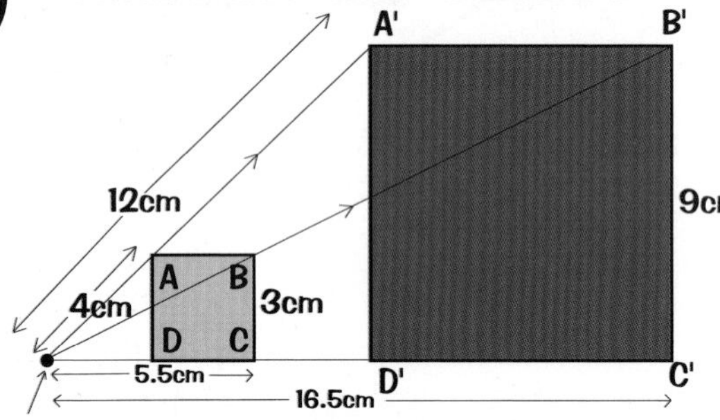

CANOL YR HELAETHIAD

Mae'r Ffactor Graddfa yn dangos hefyd PELLTER CYMHAROL hen bwyntiau a phwyntiau newydd o Ganol yr Helaethiad. Mae hyn yn DDEFNYDDIOL IAWN AR GYFER LLUNIO HELAETHIAD, oherwydd gallwch ei ddefnyddio i nodi safleoedd y pwyntiau newydd o ganol yr helaethiad, fel y dangosir yn y diagram.

4) Mae hydoedd y ddau siâp (mawr a bach) yn gysylltiedig â'r Ffactor Graddfa drwy'r Triongl Fformiwla PWYSIG IAWN hwn Y BYDD YN RHAID I CHI EI DDYSGU: (Gweler tud. 49 ar Drionglau Fformiwla)

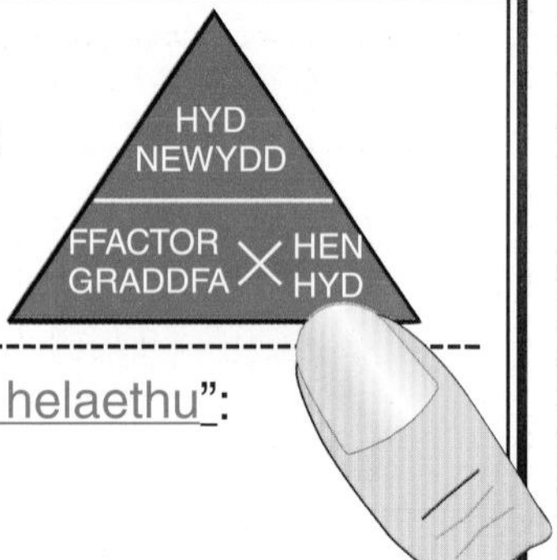

Rydych yn barod yn awr i ateb y cwestiwn arholiad ar "lun wedi'i helaethu":

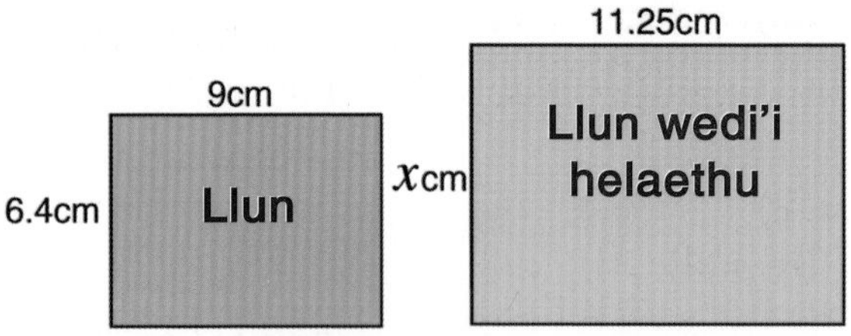

I ddarganfod lled y llun wedi'i helaethu defnyddir y triongl fformiwla DDWYWAITH (yn gyntaf i ddarganfod y Ffactor Graddfa, ac yna i ddarganfod yr ochr anhysbys):

1) Ffactor Graddfa = Hyd newydd ÷ Hen hyd = 11.25 ÷ 9 = 1.25
2) Lled newydd = Ffactor Graddfa × Hen led = 1.25 × 6.4 = 8cm

OND BYDDECH AR GOLL YN HOLLOL HEB Y TRIONGL FFORMIWLA!

Y Prawf Hollbwysig:

DYSGWCH BEDAIR NODWEDD ALLWEDDOL helaethiadau, yn enwedig y TRIONGL FFORMIWLA.

Yna, pan fyddwch yn meddwl eich bod yn eu gwybod, cuddiwch y dudalen ac ysgrifennwch nhw i gyd oddi ar eich cof, gan gynnwys y brasluniau a'r enghreifftiau, yn enwedig y llun wedi'i helaethu. Daliwch ati nes y byddwch yn llwyddo.

Y Pedwar Trawsffurfiad

Cylchdro	- TRI manylyn
Adlewyrchiad	- UN manylyn
Trawsfudiad	- UN manylyn
Helaethiad	- DAU fanylyn

1) Defnyddiwch y gair *CATH* i gofio'r 4 math.

2) Mae'n rhaid i chi roi'r *manylion i gyd* bob tro ar gyfer pob math.

1) TRAWSFUDIAD

Mae'n rhaid i chi roi'r UN manylyn hwn: 1) FECTOR Y TRAWSFUDIAD $\begin{pmatrix} x \rightarrow \\ \uparrow y \end{pmatrix}$

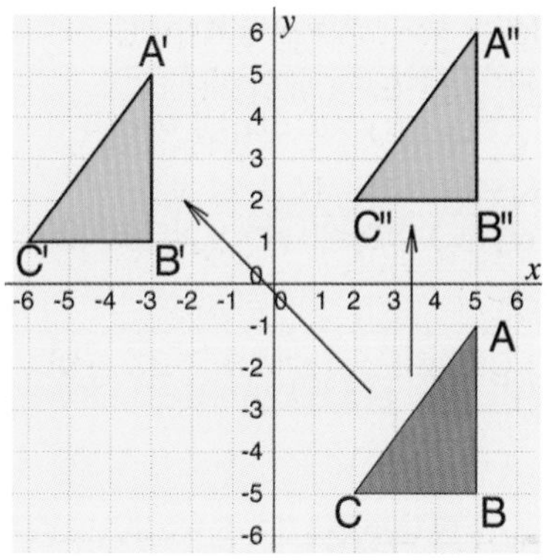

Mae ABC i A'B'C' yn *drawsfudiad o* $\begin{pmatrix} -8 \\ 6 \end{pmatrix}$

Mae ABC i A"B"C" yn *drawsfudiad o* $\begin{pmatrix} 0 \\ 7 \end{pmatrix}$

2) HELAETHIAD

Mae'n rhaid i chi roi'r 2 fanylyn hyn: 1) Y FFACTOR GRADDFA 2) CANOL yr Helaethiad

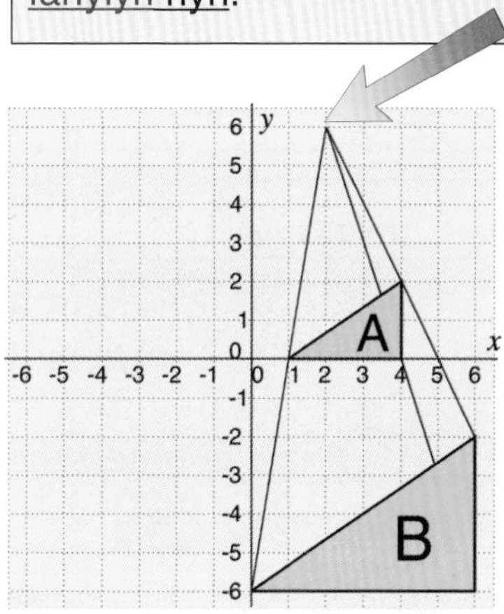

Mae A i B yn helaethiad ffactor graddfa 2, a chanol (2,6)

Mae B i A yn helaethiad ffactor graddfa ½ a chanol (2,6)

3) CYLCHDRO

Mae'n rhaid i chi roi'r 3 manylyn hyn: 1) ONGL y troad 2) CYFEIRIAD (Clocwedd neu..) 3) CANOL y Cylchdro

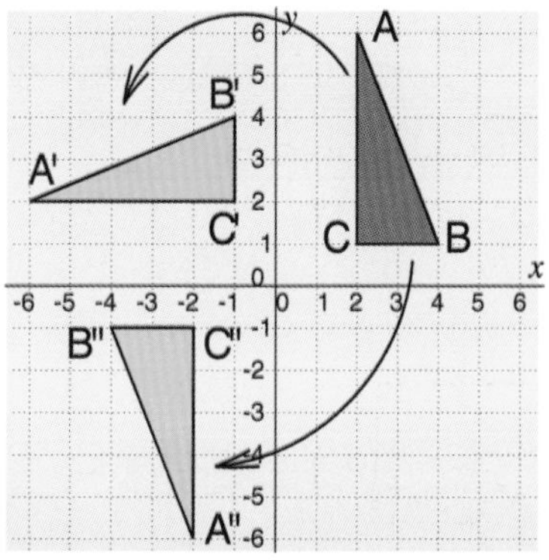

Mae ABC i A'B'C' yn Gylchdro 90°, gwrthglocwedd, o AMGYLCH y tarddbwynt.

Mae ABC i A"B"C" yn Gylchdro hanner troad (180°), clocwedd, o AMGYLCH y tarddbwynt.

4) ADLEWYRCHIAD

Mae'n rhaid i chi roi'r UN manylyn hwn: 1) Y LLINELL DDRYCH

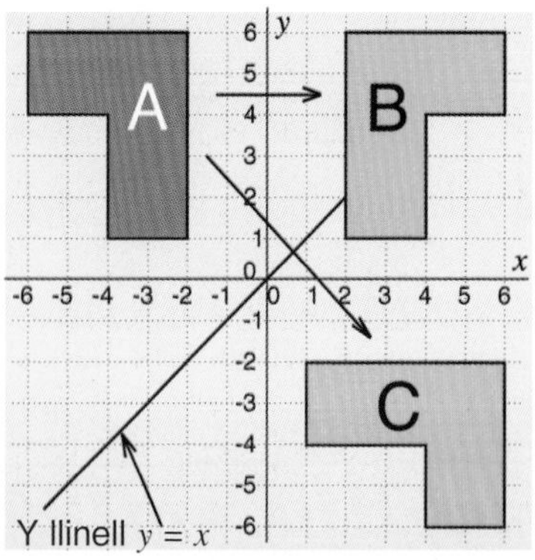

Mae A i B yn adlewyrchiad YN yr echelin y.

Mae A i C yn adlewyrchiad YN y llinell $y = x$

Y Prawf Hollbwysig:

DYSGWCH enwau'r Pedwar Trawsffurfiad a'r manylion ar gyfer pob un ohonynt. Pan fyddwch yn meddwl eich bod yn eu gwybod, cuddiwch y dudalen a'u hysgrifennu.

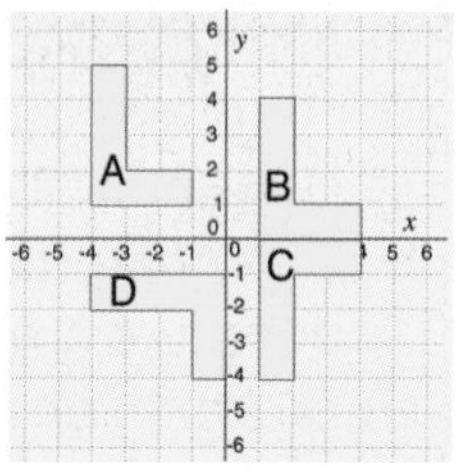

1) Disgrifiwch y trawsffurfiadau hyn yn *fanwl:* A → B, B → C, C → D.

Theorem Pythagoras

Mae THEOREM PYTHAGORAS yn mynd law yn llaw â SIN, COS a TAN gan eu bod yn ymwneud â THRIONGLAU ONGL SGWÂR. Y gwahaniaeth mawr yw NAD YDY THEOREM PYTHAGORAS YN CYNNWYS ONGLAU - mae'n defnyddio *dwy ochr* i ddarganfod y *drydedd ochr*. (Mae SIN, COS a TAN bob amser yn cynnwys ONGLAU.)

Dull

Y fformiwla sylfaenol ar gyfer theorem Pythagoras yw: $a^2 + b^2 = h^2$

Cofiwch - dim ond gyda THRIONGLAU ONGL SGWÂR y gellir defnyddio theorem Pythagoras.

Gall y fformiwla fod yn eithaf anodd i'w defnyddio.
Felly, byddai'n well cofio'r *TRI CHAM SYML* hyn, sy'n sicr o weithio bob tro:

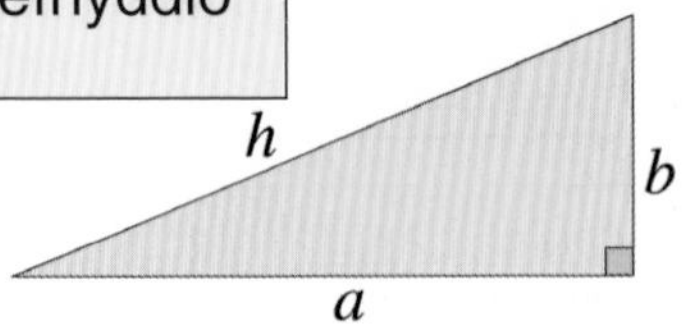

1) Sgwario

SGWARIWCH Y DDAU RIF a roddir i chi, gan ddefnyddio'r botwm x^2

2) Adio **neu** Dynnu

I ddarganfod yr *ochr hiraf*, ADIWCH y ddau rif wedi'u sgwario.
I ddarganfod *un o'r ochrau byr*, TYNNWCH y lleiaf o'r mwyaf.

3) Ail Isradd

Ar ôl adio neu dynnu, darganfyddwch AIL ISRADD yr ateb drwy bwyso $\sqrt{\ }$

Yna gwiriwch fod eich ateb yn GWNEUD SYNNWYR.

Enghraifft:

"Darganfyddwch hyd yr ochr anhysbys yn y triongl hwn."

ATEB:

Cam 1) Sgwario: $12^2 = 144$, $13^2 = 169$

Cam 2) Rydym am ddarganfod hyd un o'r ochrau byr, felly TYNNU: $169 - 144 = 25$

Cam 3) Ail isradd: $\sqrt{25} = 5$

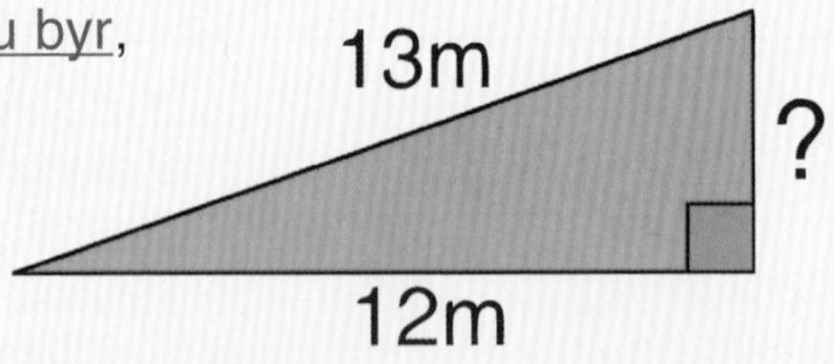

Felly, hyd yr ochr anhysbys = 5m

(Dylech ofyn bob tro: "Ydy hwn yn ateb sy'n *gwneud synnwyr*?" - yn yr achos hwn gallwch ddweud "YDY, gan ei fod yn driongl cul ac mae hyd yr ochr hon tua hanner hyd yr ochrau eraill")

Y Prawf Hollbwysig:

DYSGWCH y 2 ffaith sy'n cysylltu Pythagoras â SIN, COS, TAN, a 3 cham y dull Pythagoras.

Yna *cuddiwch y dudalen ac ysgrifennwch yr hyn rydych wedi'i ddysgu.*

1) Hyd un ochr triongl yw 3m a hyd yr hypotenws yw 5m. Cyfrifwch hyd y drydedd ochr. Yna dyblwch hyd yr ochrau a gwirio bod y theorem yn dal i weithio.
2) Darganfyddwch hyd yr ochr anhysbys PQ.

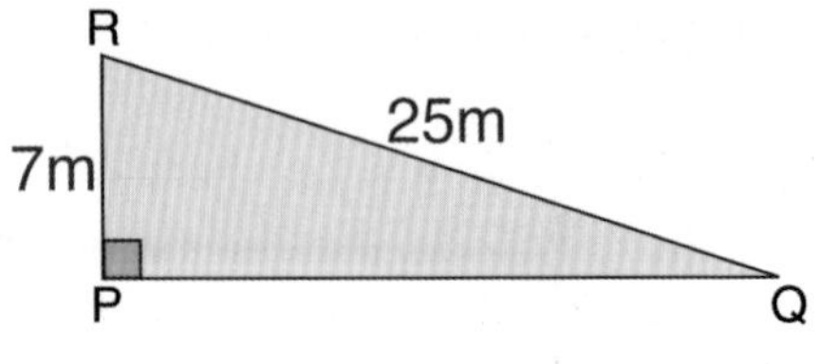

Cyfeiriannau

Cyfeiriannau – 3 Phwynt Allweddol

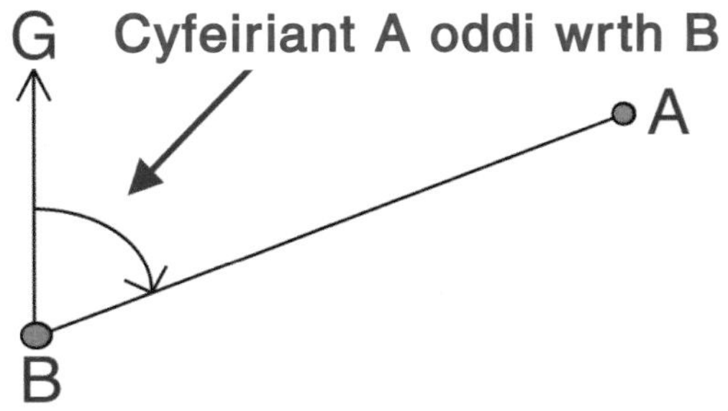

1) Cyfeiriant yw'r CYFEIRIAD A DEITHIWYD rhwng dau bwynt, ac FE'I RHODDIR FEL ONGL mewn graddau.
2) Mae pob cyfeiriant yn cael ei fesur yn GLOCWEDD o LINELL Y GOGLEDD.
3) Dylai pob cyfeiriant gael ei roi fel 3 ffigur, e.e. 045° (nid 45°), 009° (nid 9°), 015° etc.

Y 3 Gair Allweddol

Dysgwch hyn os ydych am gael cyfeiriannau'n *GYWIR*.

1) "O" / "ODDI WRTH"

Chwiliwch am y gair "O" neu "ODDI WRTH" yn y cwestiwn, a rhowch eich pensil ar y diagram ar y pwynt rydych yn mynd "*oddi wrtho*".

2) LLINELL Y GOGLEDD

Tynnwch LINELL Y GOGLEDD gan ddechrau yn y pwynt rydych yn mynd "ODDI WRTHO".

3) CLOCWEDD

Yna lluniwch yr ongl yn GLOCWEDD *o linell y gogledd i'r llinell sy'n cysylltu'r ddau bwynt*. Yr ongl hon yw'r CYFEIRIANT.

Enghraifft

Darganfyddwch gyfeiriant T oddi wrth S:

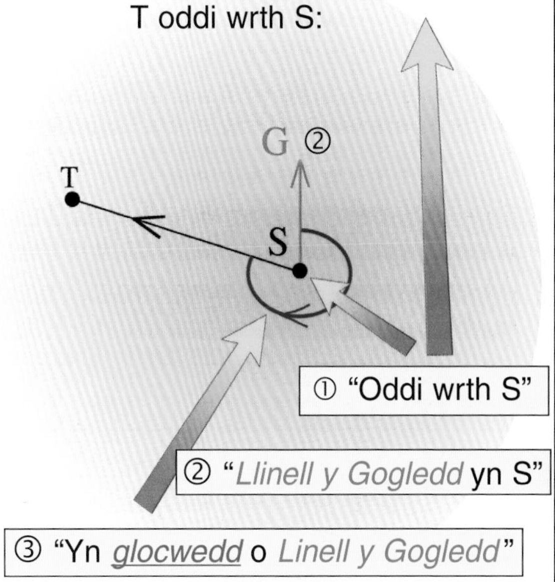

Yr ongl hon yw *cyfeiriant T oddi wrth S* ac mae'n *290°*.

Y Prawf Hollbwysig:

DYSGWCH 3 Nodwedd Cyfeiriannau a 3 Cham Allweddol y dull o'u darganfod.

Yna cuddiwch y dudalen ac ysgrifennwch yr hyn rydych newydd ei ddysgu. Daliwch ati nes y gallwch ysgrifennu'r chwe phwynt oddi ar eich cof.

1) Darganfyddwch gyfeiriant B oddi wrth A. (Defnyddiwch onglydd)
2) Darganfyddwch gyfeiriant A oddi wrth B.

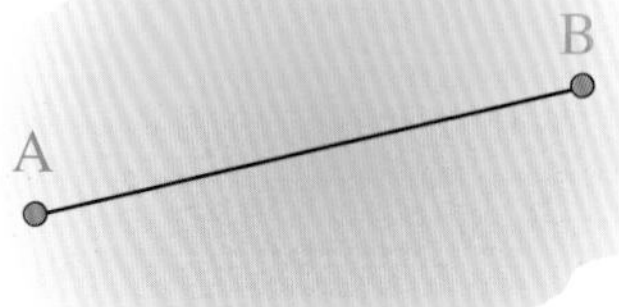

Trigonometreg - SIN, COS, TAN

Mae defnyddio trionglau fformiwla i wneud Trigonometreg yn gwneud y gwaith yn *haws o lawer*, ond cofiwch ddilyn y camau hyn i gyd yn y drefn hon BOB AMSER.

Dull

Defnyddio SIN, COS a TAN i ddatrys trionglau ongl sgwâr

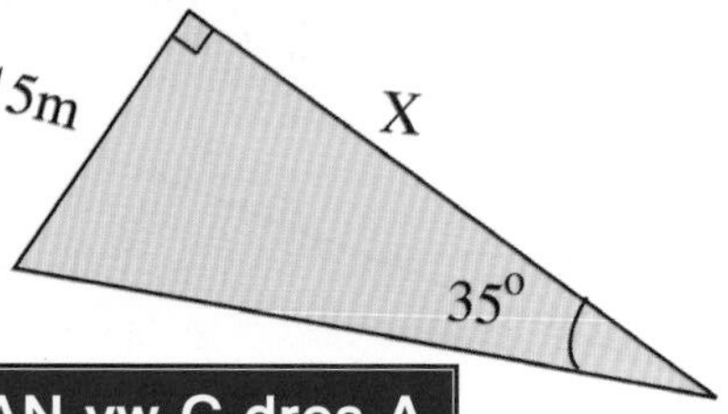

1) Labelwch y tair ochr yn C, A a H

(Cyferbyn, Agos a Hypotenws)

2) COFIWCH: SIN yw C dros H, COS yw A dros H, TAN yw C dros A

3) Penderfynwch PA DDWY OCHR sy'n berthnasol C,H A,H neu C,A

a dewiswch yr ymadrodd cywir o blith y rhai a welir yng Ngham 2 uchod.

4) Trowch yr un a ddewiswch yn DRIONGL FFORMIWLA:

SIN yw C dros H COS yw A dros H TAN yw C dros A (Gweler tud. 39)

5) Cuddiwch yr hyn rydych am ei ddarganfod

â'ch bys, ac ysgrifennwch beth bynnag sydd ar ôl i'w weld.

6) Rhowch rifau yn lle'r llythrennau a chyfrifwch yr ateb.

7) Yn olaf, gwiriwch fod yr ateb yn gwneud synnwyr.

Saith o Fanylion i'w Cofio

- ☺ HYPOTENWS yw'r OCHR HIRAF.
  CYFERBYN yw'r ochr GYFERBYN â'r ongl a ddefnyddir (θ).
  AGOS yw'r ochr NESAF AT yr ongl a ddefnyddir (θ).
- ☺ θ YW'R LLYTHYREN ROEG "theta", *ac fe'i defnyddir i gynrychioli ONGLAU*.
- ☺ Yn y trionglau fformiwla, mae Sθ yn cynrychioli SIN θ, Cθ yw COS θ, a Tθ yw TAN θ.
- ☺ I fwydo SIN 30, dyweder, i mewn i'r cyfrifiannell, mae'n rhaid i chi wneud hynny O CHWITH ar y rhan fwyaf o gyfrifianellau: h.y. 30 SIN (ond mae rhai cyfrifianellau'n ei wneud yn y drefn gywir).
- ☺ I DDARGANFOD YR ONGL - DEFNYDDIWCH Y GWRTHDRO (gweler y dudalen nesaf →)
- ☺ DEFNYDDIWCH DDIAGRAM BOB AMSER - *lluniwch ddiagram eich hun os oes angen.*
- ☺ Dim ond gyda THRIONGLAU ONGL SGWÂR y gallwch ddefnyddio SIN, COS a TAN - efallai y bydd yn rhaid i chi *ychwanegu llinellau at y diagram er mwyn creu un* - yn enwedig at drionglau ISOSGELES.

Y Prawf Hollbwysig:

**DYSGWCH 7 Cam y Dull a'r ...
7 Manylyn Pwysig.**

Yna cuddiwch y dudalen ac ysgrifennwch nhw i gyd oddi ar eich cof.

Trigonometreg - SIN, COS, TAN

Enghraifft 1)

"Darganfyddwch x yn y triongl a ddangosir."

1) Labelwch C, A, H.
2) Y ddwy ochr berthnasol yw: C, A.
3) Felly defnyddiwch C / Tθ × A

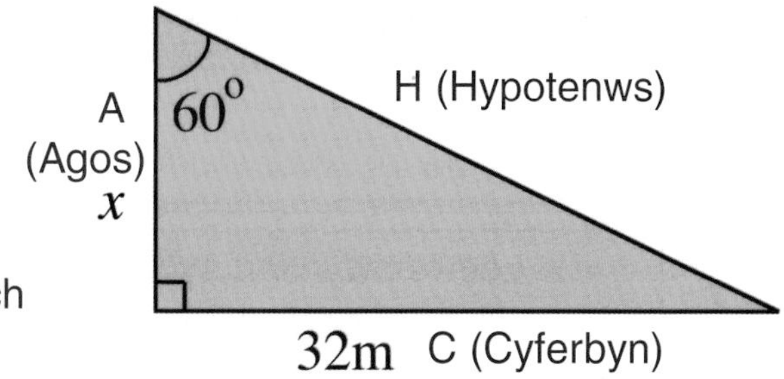

4) Rydym am ddarganfod A, felly rhowch eich bys ar A a chael: A = C/Tθ
5) Rhowch rifau: x = 32/Tan 60
   Pwyswch 32 ÷ 60 TAN = → 18.475208 — Felly, yr ateb = 18.5m
6) Ydy'r ateb hwn yn synhwyrol? Ydy, mae tua hanner 32, fel yr awgryma'r diagram.

Enghraifft 2)

"Darganfyddwch ongl X yn y triongl hwn."

1) Holltwch y triongl a thrwy hynny hollti ongl X. θ = hanner X.
2) Y ddwy ochr berthnasol yw: C, H

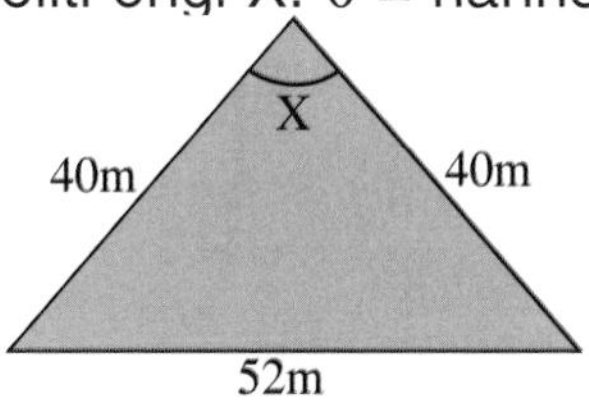

Sylwch mai'r ffordd arferol o ddelio â THRIONGL ISOSGELES yw ei hollti i lawr y canol i gael ONGL SGWÂR:

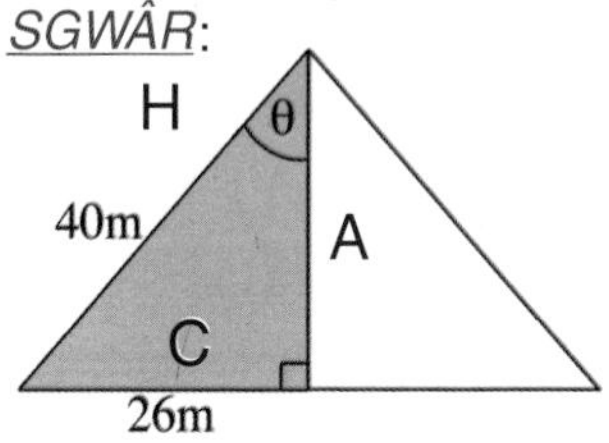

3) Felly defnyddiwch C / Sθ × H
4) Rydym am ddarganfod θ, felly rhowch eich bys ar Sθ a chael: Sθ = C/H
5) Rhowch rifau: SIN θ = 26/40 = 0.65

YNA DEFNYDDIWCH Y GWRTHDRO: θ = INV SIN (0.65)

Pwyswch 0.65 INV SIN → 40.5416 — Felly θ = 40.5°

Gan fod θ = hanner X, X = 40.5 × 2 h.y. X = 81°.

6) Ydy'r ateb yn synhwyrol? – Ydy, mae'r ongl yn edrych tua 80°.

Onglau Codi a Gostwng

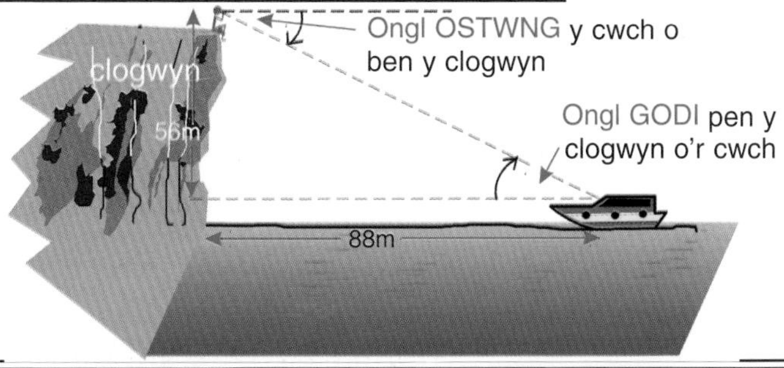

1) Yr *Ongl Ostwng* yw'r ongl tuag i lawr o'r llorwedd.
2) Yr *Ongl Godi* yw'r ongl tuag i fyny o'r llorwedd.
3) Mae'r *Ongl Godi* BOB AMSER YN HAFAL *i'r Ongl Ostwng.*

Y Prawf Hollbwysig:

Daliwch ati i ymarfer y cwestiynau hyn nes y gallwch ddefnyddio'r dull yn rhwydd heb gymorth y nodiadau.

1) Darganfyddwch θ

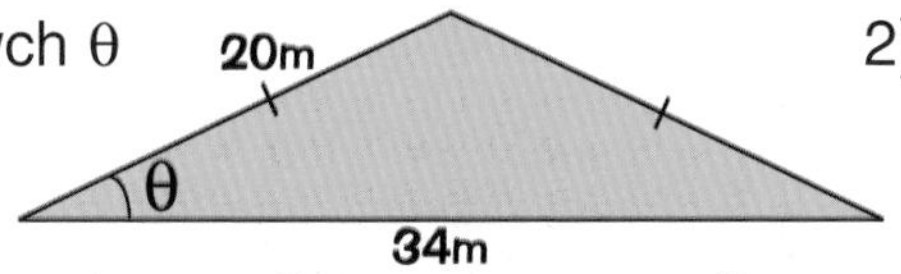

2) Darganfyddwch X

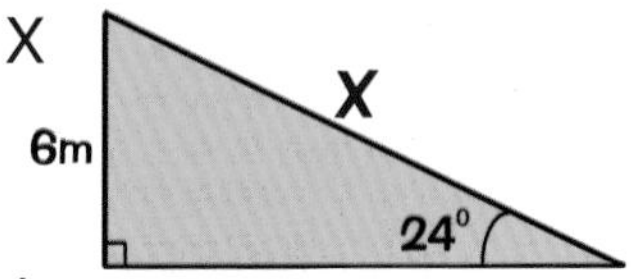

3) Cyfrifwch yr onglau codi a gostwng yn llun y cwch a welir uchod.

Locysau a Lluniadau

Ystyr LOCWS yw:

LLINELL sy'n dangos yr holl bwyntiau sy'n bodloni rheol benodol

Gwnewch yn siŵr eich bod yn dysgu sut i'w llunio'n GYWIR gan ddefnyddio PREN MESUR A CHWMPAS fel y dangosir ar y ddwy dudalen hyn.

1) Locws pwyntiau sydd â "*PHELLTER SEFYDLOG o BWYNT penodol*"

CYLCH yw'r locws hwn.

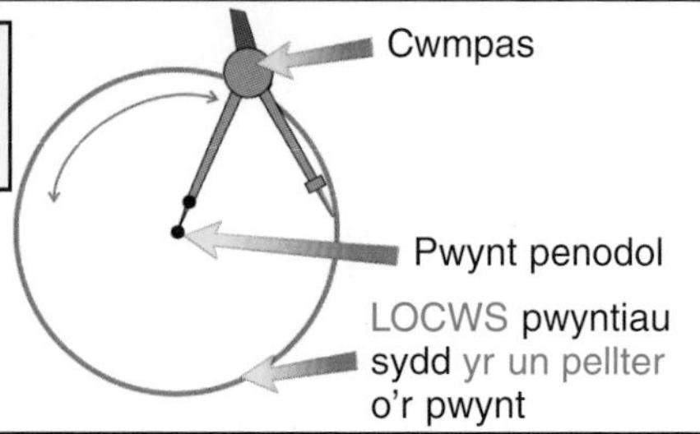

2) Locws pwyntiau sydd â "*PHELLTER SEFYDLOG o LINELL benodol*"

SIÂP HIRGRWN yw'r locws hwn.

Mae ganddo *ochrau syth* (wedi'i llunio â phren mesur) a'r *ddau ben* yn *hanner cylch perffaith* (wedi'u llunio â chwmpas).

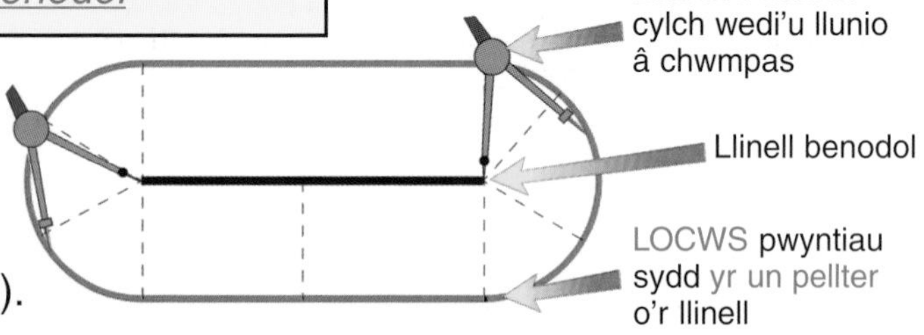

3) Locws pwyntiau sydd "*YR UN PELLTER o DDWY LINELL BENODOL*"

1) *PEIDIWCH Â NEWID* ongl y cwmpas wrth wneud *y pedwar marc*.

2) Gofalwch fod marciau'r cwmpas yn *glir*.

3) Rydych yn cael *dwy ongl hafal* - h.y. mae'r *LOCWS* hwn yn *HANERU'R ONGL*.

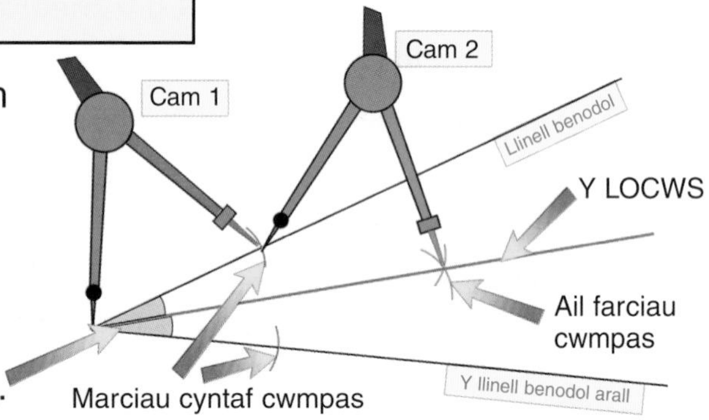

4) Locws pwyntiau sydd "*YR UN PELLTER o DDAU BWYNT PENODOL*"

(Yn y diagram isod, A a B yw'r ddau bwynt penodol)

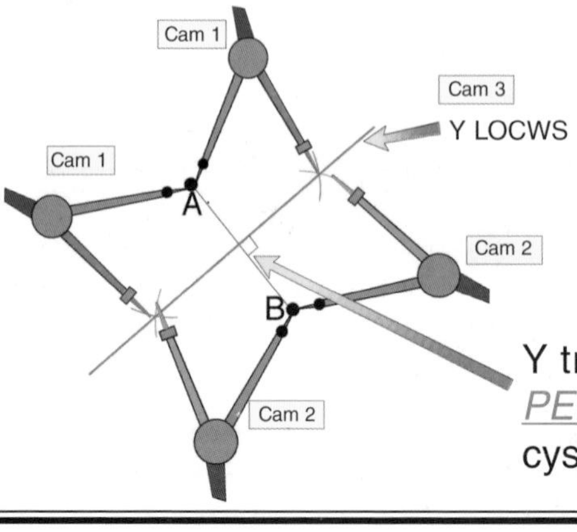

Dyma LOCWS yr holl bwyntiau sydd *yr un pellter* o A ag o B.

Y tro hwn y locws yw *HANERYDD PERPENDICWLAR* y llinell sy'n cysylltu'r ddau bwynt.

Locysau a Lluniadau

Llunio onglau 60° manwl gywir

1) Efallai y gofynnir i chi lunio *ongl 60° yn fanwl gywir*.

2) Un lle mae angen hyn yw wrth lunio *triongl hafalochrog*.

3) Gwnewch yn siŵr eich bod yn *dilyn y dull* a ddangosir yn y diagram a'ch bod yn gallu ei wneud *yn gyfan gwbl oddi ar eich cof.*

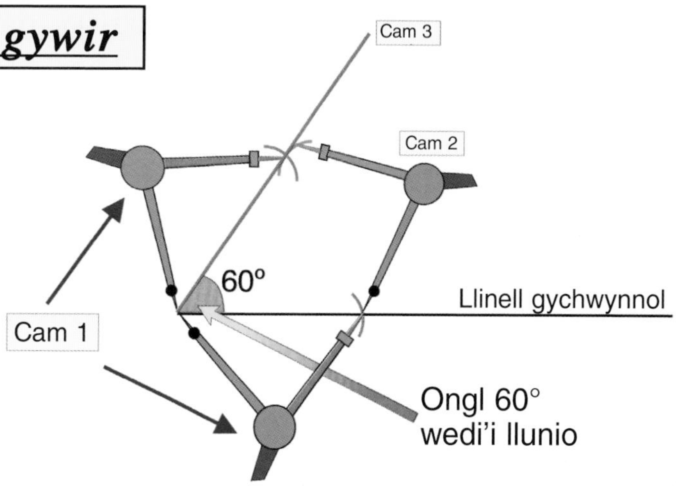

Llunio onglau 90° manwl gywir

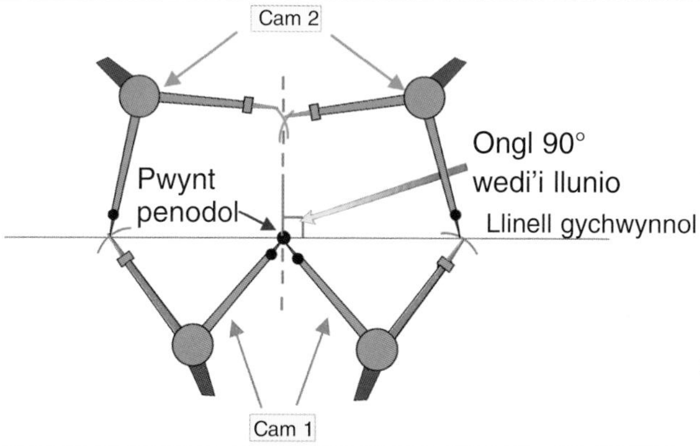

1) Efallai y gofynnir i chi lunio *ongl 90° yn fanwl gywir*.

2) Ni dderbynnir un sy'n cael ei llunio "*â'r llygad*" neu â phren mesur - i gael y marciau mae'n rhaid ei llunio yn *y ffordd iawn* â *chwmpas*, fel y dangosir yma.

3) Gwnewch yn siŵr y gallwch *ddilyn y dull* a ddangosir yn y diagram.

Llunio'r Perpendicwlar o Bwynt i Linell

1) Mae hyn yn debyg i'r un uchod ond *nid yw'n union yr un fath* - gwnewch yn siŵr y gallwch wneud *y ddau*.

2) Eto mae'n rhaid i chi wneud hyn yn y *ffordd iawn* â *chwmpas* - nid "*â'r llygad*" neu â phren mesur.

3) *Dysgwch* y diagram.

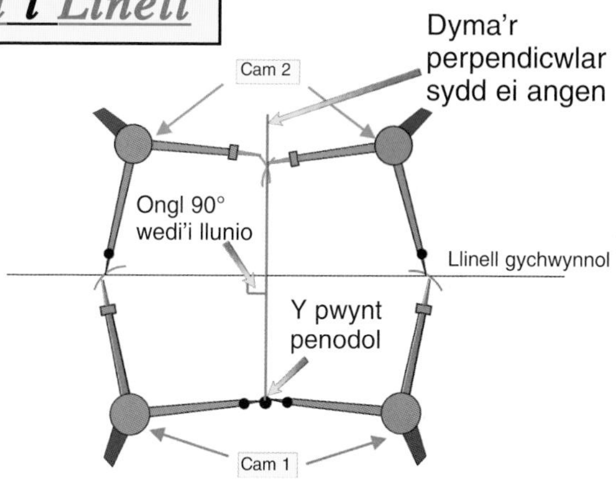

Y Prawf Hollbwysig: DYSGWCH BOPETH AR Y DDWY DUDALEN HYN

Yna cuddiwch y tudalennau a lluniwch enghraifft o bob un o'r pedwar locws. Lluniwch hefyd driongl hafalochrog sydd ag onglau 60° manwl gywir a sgwâr sydd ag onglau 90° manwl gywir. Pa un o'r pedwar locws y bydd arnoch ei angen:
1) Os gofynnir i chi lunio hanerydd ongl;
2) Os gofynnir i chi dywyllu'r arwynebedd sy'n agosach at bwynt A nag at bwynt B?

Crynodeb Adolygu ar gyfer Adran 3

Efallai y bydd y cwestiynau hyn yn ymddangos yn anodd, *ond dyma'r adolygu gorau y gallwch ei wneud*. Cofiwch mai diben adolygu *yw gweld beth nad ydych yn ei wybod* ac yna ei ddysgu *nes y byddwch yn ei wybod*. Bydd y cwestiynau hyn yn ffordd dda o brofi faint a wyddoch. Maen nhw'n dilyn trefn y tudalennau yn Adran 3, felly bydd hi'n hawdd troi at y tudalennau perthnasol os na wyddoch rywbeth.

Daliwch ati i ddysgu'r ffeithiau sylfaenol hyn nes y byddwch yn eu gwybod.

1) Beth yw polygon rheolaidd? Lluniwch y 6 chyntaf a disgrifiwch eu cymesuredd.
2) Beth yw'r 3 math o gymesuredd? Lluniwch enghraifft o bob un.
3) Lluniwch ac enwch 6 phedrochr gwahanol a nodwch eu cymesuredd i gyd.
4) Enwch 3 thriongl gwahanol. Lluniwch nhw a disgrifiwch eu cymesuredd yn llawn.
5) Ysgrifennwch y fformiwlâu ar gyfer arwynebedd 5 math gwahanol o siapiau.
6) Beth yw π? Beth yw'r ddwy fformiwla ar gyfer cylchoedd? Pryd fyddwch yn eu defnyddio?
7) Nodwch 3 cham pwysig ar gyfer darganfod perimedr siâp.
8) Rhowch y fformiwlâu ar gyfer cyfeintiau dau fath o solid.
9) Beth yn union yw prism? Lluniwch un a dangoswch y ddau fanylyn pwysig.
10) Eglurwch ystyr arwynebedd arwyneb a beth yw rhwyd.
11) Beth yw'r cysylltiad rhwng y ddau? A oes fformiwla ar gyfer cyfrifo arwynebedd arwyneb?
12) Lluniwch y pedair rhwyd bwysig.
13) Rhestrwch 8 rheol gyntaf geometreg, a rhowch fanylion ychwanegol am y 3 olaf.
14) Rhowch fanylion y 4 rheol syml ar gyfer geometreg y cylch.
15) Beth yw'r nodiant 3 llythyren ar gyfer onglau? Rhowch enghraifft.
16) Beth yw'r tair rheol ar gyfer nodi a ydy fformiwlâu ar gyfer hyd, arwynebedd neu gyfaint?
17) Beth yw pedrochr?
18) Eglurwch beth yw ongl lem ac ongl aflem a rhowch 2 enghraifft o'r naill a'r llall.
19) Eglurwch ystyr a) cyfath b) cyflun.
20) Os yw gwrthrych wedi'i helaethu yn ôl ffactor graddfa 3, faint yn fwy fydd arwynebedd a chyfaint y siâp newydd?
21) Beth yw'r rheolau ar gyfer hyn yn nhermau ffactor graddfa n?
22) Mewn helaethiadau, beth yw effaith ffactor graddfa sy'n <u>fwy</u> nag 1?
23) Beth yw effaith ffactor graddfa sy'n <u>llai</u> nag 1?
24) Sut y caiff hyn ei ddefnyddio ar gyfer llunio helaethiad?
25) Beth yw'r triongl fformiwla ar gyfer helaethiadau?
26) Eglurwch y defnydd a wneir ohono drwy ddefnyddio cwestiwn llun wedi'i helaethu.
27) Beth mae'r llythrennau CATH yn ei ddynodi?
28) Rhowch y manylion sy'n mynd gyda phob un o'r 4 math o drawsffurfiad.
29) Beth yw'r fformiwla ar gyfer theorem Pythagoras?
30) Nodwch dri cham y dull hawdd o ddefnyddio theorem Pythagoras.
31) Beth yw'r tri phwynt allweddol ynglŷn â chyfeiriannau?
32) Rhowch y tri gair allweddol a ddefnyddir i ddarganfod neu blotio cyfeiriant.
33) Â beth mae trigonometreg yn delio? Beth fyddai cwestiwn cyffredin?
34) Sut y byddwch yn penderfynu pa ochrau yw'r Agos, y Cyferbyn a'r Hypotenws?
35) Nodwch y tair fformiwla a roddwyd i chi yn y gwaith ar drigonometreg.
36) Sut y byddech yn bwydo COS 60° i mewn i'r cyfrifiannell?
37) Beth yw locws? Disgrifiwch yn fanwl y pedwar math y dylech eu gwybod.
38) Ysgrifennwch sut y byddech yn llunio onglau 90° a 60° yn fanwl gywir.

Tebygolrwydd

Mae'n swnio'n faes cymhleth ond nid yw mor ddrwg â hynny. MAE'N RHAID I CHI DDYSGU'R FFEITHIAU SYLFAENOL a roddir ar y 3 tudalen hyn.

Mae pob Tebygolrwydd rhwng 0 ac 1

Mae tebygolrwydd o SERO yn golygu NA FYDD BYTH YN DIGWYDD.
Mae tebygolrwydd o UN yn golygu y BYDD YN SICR O DDIGWYDD.

Allwch chi ddim cael tebygolrwydd sy'n fwy nag 1.

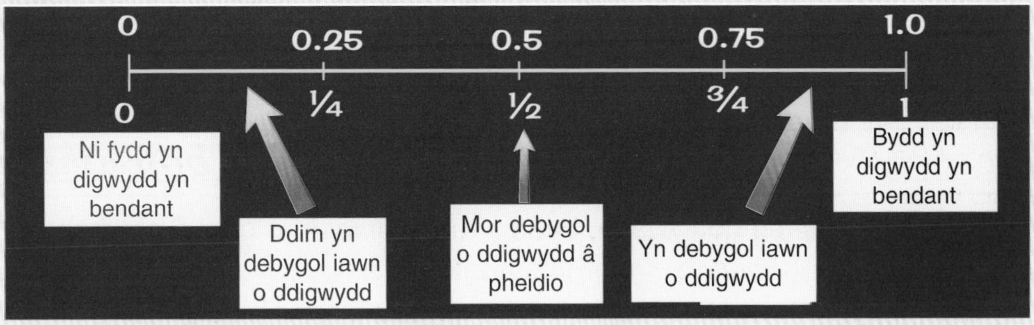

Dylech allu rhoi'r tebygolrwydd y bydd unrhyw ddigwyddiad yn digwydd ar y raddfa hon o 0 i 1.

Tri Manylyn Pwysig

1) **DYLAI TEBYGOLRWYDD GAEL EI FYNEGI naill ai fel FFRACSIWN ($1/4$),neu fel DEGOLYN (0.25)**
2) **Y NODIANT: "P(x) = $1/2$". DYLAI HWN GAEL EI DDARLLEN FEL: "Y tebygolrwydd y bydd digwyddiad X yn digwydd yw $1/2$"**
3) **MAE TEBYGOLRWYDD BOB AMSER YN ADIO I WNEUD 1. Mae hyn yn hanfodol ar gyfer darganfod tebygolrwydd *y digwyddiad arall.***
   e.e. Os yw P(llwyddo) = $1/4$, yna P(methu) = $3/4$.

TRI MANYLYN YCHWANEGOL

ar gyfer cyfuniad o ddigwyddiadau (yn barod ar gyfer tud. 86!):

1) DEFNYDDIWCH Y BOTWM FFRACSIWN $a^b/_c$ AR EICH CYFRIFIANNELL ar gyfer lluosi neu adio ffracsiynau.
2) Byddwch yn ofalus â'r geiriau "GAN DDYCHWELYD" a "HEB DDYCHWELYD" a gwnewch yn siŵr eich bod yn gwybod pa wahaniaeth y bydd hyn yn ei wneud.
   (Naill ai rydych yn dychwelyd y peth ar ôl y cynnig cyntaf, cyn cael eich ail gynnig, neu dydych chi ddim yn ei ddychwelyd - mae'r ail ddiagram canghennog ar dud. 87 yn dangos beth all ddigwydd)
3) Mae TEBYGOLRWYDD CYFUNOL y bydd dau ddigwyddiad ILL DAU yn digwydd BOB AMSER YN LLAI na'r tebygolrwydd y bydd y naill neu'r llall ohonynt yn digwydd ar ei ben ei hun.

Y Prawf Hollbwysig:

DYSGWCH y diagram a'r 6 PHWYNT PWYSIG ar y dudalen hon. Yna cuddiwch y dudalen ac ysgrifennwch y cyfan.

1) Os ydy P(Dewis pêl goch) yn $1/5$, beth yw gwerth P(Peidio â dewis pêl goch)?

Tebygolrwydd ar Waith

Ydy hi'n Debygol neu Beidio? - Gwybod sut i weld hyn

Os taflwch ddarn arian, byddwch yr un mor debygol o gael pen â pheidio. Ond os yw'n ddiwrnod braf yn yr haf, nid yw'n debygol o gwbl y bydd hi'n bwrw eira. Dylech allu dweud pa mor debygol ydy pethau cyffredin o ddigwydd ac amcangyfrif y tebygolrwydd.

Mae gan Beli Lliw Debygolrwydd Pendant

Os oes 15 pêl las a 5 pêl goch mewn bag, gallwch gyfrif yr union debygolrwydd bob amser. P (dewis pêl las) = $\frac{15}{20} = \frac{3}{4}$ neu 0.75.

O fag gwahanol, os P (dewis pêl werdd) yw 0.35,

yna P (dewis lliw arall) = 1 - 0.35 = 0.65.

Gyda dis, 1/6 yw'r siawns ar gyfer pob rhif bob amser

Pan fyddwch yn taflu dis teg ddwywaith, bydd y tebygolrwydd o gael 2 chwech yn cael ei ddarganfod drwy luosi'r ddau debygolrwydd: $= \frac{1}{6} \times \frac{1}{6}$.

Mae'n fwy anodd cyfrifo'r tebygolrwydd o sgorio 11 pan gaiff 2 ddis eu taflu:

Dyma'r tebygolrwydd o | 6 ac yna 5 | NEU | 5 ac yna 6 |

sef $\left(\frac{1}{6} \times \frac{1}{6}\right) + \left(\frac{1}{6} \times \frac{1}{6}\right) = \frac{1}{36} + \frac{1}{36} = \frac{2}{36} = \frac{1}{18}$.

Gallwch lunio diagram canghennog i wirio hyn (gweler tud. 86 ac 87)

Rhestru'r Holl Ganlyniadau Posibl - gwnewch hyn yn Ofalus

Mae'n bosibl y gofynnir i chi yn yr arholiad restru'r holl ganlyniadau posibl. Er mwyn eu cael nhw i gyd mae'n rhaid i chi wneud hyn mewn trefn resymegol - i wneud yn siŵr y byddwch yn cynnwys pob un.

Enghraifft *"Mae darn arian a dis yn cael eu taflu gyda'i gilydd. Rhestrwch yr holl ganlyniadau posibl."*

Dechreuwch gydag un canlyniad ar gyfer y darn arian ac yna ei baru â phob canlyniad ar gyfer y dis. e.e. P1 P2 P3 P4 P5 P6

Yna gwnewch yr un peth â'r canlyniad arall ar gyfer y darn arian (h.y. cynffon, C)...

C1 C2 C3 C4 C5 C6

Mae Diagramau Canghennog bob amser yn ffordd ddefnyddiol iawn o ddarganfod yr holl ganlyniadau posibl.

Y Prawf Hollbwysig:

DYSGWCH y pedair rhan wahanol ar y dudalen hon - yna cuddiwch y dudalen ac ysgrifennwch bopeth rydych wedi'i ddysgu.

Yna rhowch gynnig ar y rhain:

1) Os ydy heddiw yn ddiwrnod mwyn ym mis Hydref, pa mor debygol yw hi y bydd hi'n rhewllyd yfory?
2) Os yw P (dewis pêl felen) = $^1/_3$ beth yw P (peidio â dewis pêl felen)?
3) Darganfyddwch y tebygolrwydd o sgorio 3 pan gaiff dau ddis eu taflu.
4) Mae car du, car coch a char gwyrdd mewn ras. Rhestrwch yr holl drefnau posibl y gall y ceir orffen ynddynt.

Amcangyfrif Tebygolrwydd

Mae *dwy ffordd wahanol* o ddarganfod y tebygolrwydd y bydd digwyddiad yn digwydd.

Un ffordd yw *cyfrifo hyn*, fel y byddech yn ei wneud ar gyfer peli lliw mewn bag. Yr enw ar hyn yw *tebygolrwydd damcaniaethol*.

Y ffordd arall yw gwneud *arbrawf* a darganfod *faint o weithiau* y bydd y digwyddiad *yn digwydd* o'i gymharu â faint o weithiau roeddech wedi *rhoi cynnig arni*. Yr enw ar hyn yw tebygolrwydd *amcangyfrifol*.

Tebygolrwydd Amcangyfrifol

Ar ôl i chi wneud arbrawf a darganfod y tebygolrwydd amcangyfrifol, gallwch wedyn amcangyfrif y tebygolrwydd y bydd yr un digwyddiad yn digwydd yn y dyfodol, gan *ddefnyddio'r fformiwla isod*.

$$\text{P (Digwyddiad A)} = \frac{\text{FAINT O WEITHIAU Y DIGWYDDODD Y DIGWYDDIAD}}{\text{NIFER Y CYNIGION}}$$

ENGHRAIFFT: Mae dis annheg yn cael ei daflu 300 o weithiau. Mae "chwech" yn cael ei daflu 80 o weithiau. Ar sail hyn, gallwn gyfrifo:

$$\text{P (taflu “chwech”)} = \frac{80}{300} = \frac{8}{30} = \frac{4}{15}.$$

Felly $\frac{4}{15}$ yw'r tebygolrwydd *amcangyfrifol* neu *arbrofol* o gael chwech gyda'r *dis annheg* hwn.

Yna gallwch ddefnyddio'r tebygolrwydd arbrofol hwn i gyfrifo *faint o weithiau* y byddech yn *disgwyl* i'r un peth ddigwydd *am nifer penodol o gynigion*. Dyma'r fformiwla syml:

nifer disgwyliedig y digwyddiadau = tebygolrwydd amcangyfrifol × nifer y cynigion

ENGHRAIFFT: Os caiff y dis annheg ei daflu *750 o weithiau*, faint o weithiau y byddech yn disgwyl taflu "chwech".

Nifer disgwyliedig taflu "chwech" = *tebygolrwydd amcangyfrifol × nifer y cynigion*

$$= \frac{4}{15} \times 750 = 200.$$

Tebygolrwydd Damcaniaethol

Ystyr Tebygolrwydd Damcaniaethol yw'r tebygolrwydd sy'n cael ei dderbyn yn gyffredinol fel gwir siawns fathemategol y bydd digwyddiad yn digwydd.

Mae gan *ddis teg debygolrwydd damcaniaethol* o $\frac{1}{6}$ ar gyfer pob un o'r 6 chanlyniad posibl.

Felly, os byddwn yn taflu dis *teg* 300 o weithiau byddem yn disgwyl taflu "chwech" $\frac{1}{6} \times 300 =$ *50 o weithiau*.

Y Prawf Hollbwysig:

DYSGWCH y ddwy fformiwla ynglŷn â thebygolrwydd amcangyfrifol. Yna cuddiwch y dudalen ac *ysgrifennwch bopeth rydych wedi'i ddysgu*.

Yna rhowch gynnig ar hyn:

Os caiff darn arian â thuedd ei daflu 50 o weithiau, pen yw'r canlyniad 35 o weithiau. Faint o weithiau y byddech yn disgwyl cael pen yn ganlyniad pe bai'r darn arian yn cael ei daflu 420 o weithiau?

Tebygolrwydd Cyfunol

Tebygolrwydd Cyfunol - dau neu fwy o ddigwyddiadau

Dyma lle mae'r rhan fwyaf o bobl yn cael trafferth. Y rheswm dros hynny yw nad ydynt yn gwybod y rheolau syml hyn:

Tair Rheol Syml:

1) *Rhannwch* bob cwestiwn ar debygolrwydd sy'n ymddangos yn gymhleth i gael DILYNIANT o DDIGWYDDIADAU SENGL AR WAHÂN.

2) *Darganfyddwch debygolrwydd POB UN* o'r DIGWYDDIADAU SENGL AR WAHÂN.

3) *Defnyddiwch y rheol A HEFYD/NEU*:

1) Y Rheol A HEFYD:

$$P(A \text{ a } B) = P(A) \times P(B)$$

Sef:

Mae'r tebygolrwydd y bydd Digwyddiad A A HEFYD Digwyddiad B yn digwydd yn hafal i'r ddau debygolrwydd unigol wedi'u LLUOSI â'i gilydd.

(A bod yn fanwl, mae'n rhaid i'r ddau ddigwyddiad fod yn ANNIBYNNOL, h.y. os bydd y naill ddigwyddiad yn digwydd, fydd hynny ddim yn rhwystro'r llall rhag digwydd. Cymharwch hyn â'r digwyddiadau *cydanghynhwysol* isod.)

2) Y Rheol NEU:

$$P(A \text{ neu } B) = P(A) + P(B)$$

Sef:

Mae'r tebygolrwydd y bydd NAILL AI Digwyddiad A NEU Ddigwyddiad B yn digwydd yn hafal i'r ddau debygolrwydd unigol wedi'u HADIO at ei gilydd.

(A bod yn fanwl, mae'n rhaid i'r ddau ddigwyddiad fod yn GYDANGHYNHWYSOL, h.y. os bydd y naill ddigwyddiad yn digwydd, *all y llall ddim* digwydd. Mae hyn fwy neu lai yn groes i ddigwyddiadau *annibynnol* [gweler uchod].)

Y ffordd o gofio hyn yw cofio ei fod *o chwith* - h.y. byddech yn disgwyl i'r A HEFYD fynd gyda + ond nid felly y mae. Mae "*A HEFYD yn mynd gyda* $\times$" ac mae "*NEU yn mynd gyda +*".

Enghraifft

"Darganfyddwch y tebygolrwydd o ddewis y ddwy frenhines goch o becyn o gardiau."

ATEB:

1) RHANNWCH hyn yn DDAU DDIGWYDDIAD AR WAHÂN
 - h.y. dewis un frenhines goch *ac yna* dewis yr ail frenhines goch.
2) *Darganfyddwch debygolrwydd* y *ddau ddigwyddiad ar wahân*:
 P (y frenhines goch gyntaf) = $2/52$ P (yr ail frenhines goch) = $1/51$ (- sylwch ar y newid o 52 i 51)
3) *Defnyddiwch y Rheol A HEFYD/NEU:* Rhaid i'r DDAU ddigwyddiad ddigwydd, felly defnyddiwch y Rheol A HEFYD:
 Felly lluoswch y ddau debygolrwydd: $2/52 \times 1/51 = 1/1326$.

Y Prawf Hollbwysig:

DYSGWCH y Tair Rheol Syml ar gyfer digwyddiadau cyfansawdd, a'r Rheol A HEFYD/NEU.

1) Cuddiwch y dudalen ac ysgrifennwch y rheolau oddi ar eich cof. Yna defnyddiwch nhw yma:
2) Darganfyddwch y tebygolrwydd o ddewis 2 Frenin ynghyd â Brenhines y Calonnau o becyn o gardiau.

Tebygolrwydd - Diagramau Canghennog

Diagram Canghennog Cyffredinol

Mae Diagramau Canghennog i gyd yn eithaf tebyg i'w gilydd, felly dysgwch y manylion sylfaenol hyn (sy'n berthnasol i BOB diagram canghennog) - er mwyn bod yn barod ar gyfer yr un yn yr arholiad.

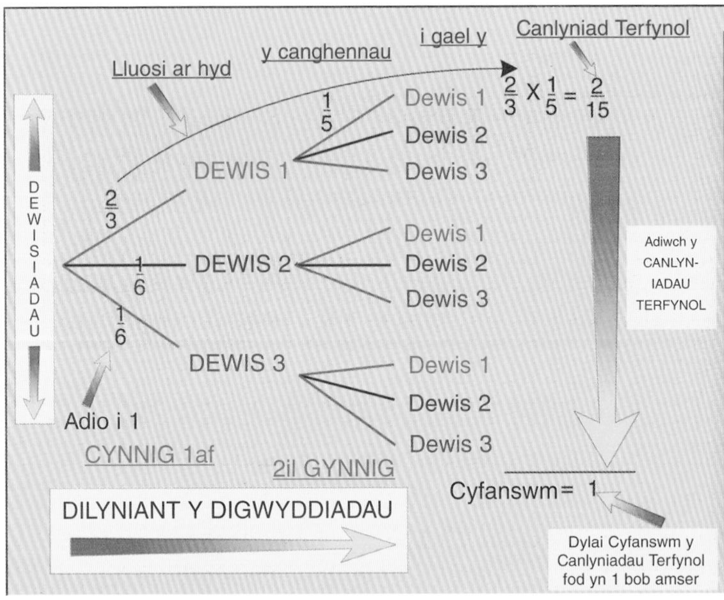

1) ***LLUOSWCH AR HYD Y CANGHENNAU*** **bob amser (fel y dangosir) i gael y CANLYNIADAU TERFYNOL.**
2) ***Ar unrhyw set o ganghennau sy'n cyfarfod ar bwynt*****, dylai'r rhifau bob amser ADIO i 1.**
3) ***Gwiriwch fod eich diagram yn gywir*** **drwy sicrhau bod y Canlyniadau Terfynol yn ADIO i 1.**
4) ***I ateb unrhyw gwestiwn,*** **ADIWCH Y CANLYNIADAU TERFYNOL PERTHNASOL (gweler isod).**

Cwestiwn tebygol ar Ddiagram Canghennog

ENGHRAIFFT: "Mae bag yn cynnwys 6 marblen goch a 4 marblen werdd. Mae dwy farblen yn cael eu tynnu allan ond heb eu dychwelyd. Lluniwch ddiagram canghennog a'i ddefnyddio i ddarganfod y tebygolrwydd y bydd y ddwy farblen o'r un lliw."

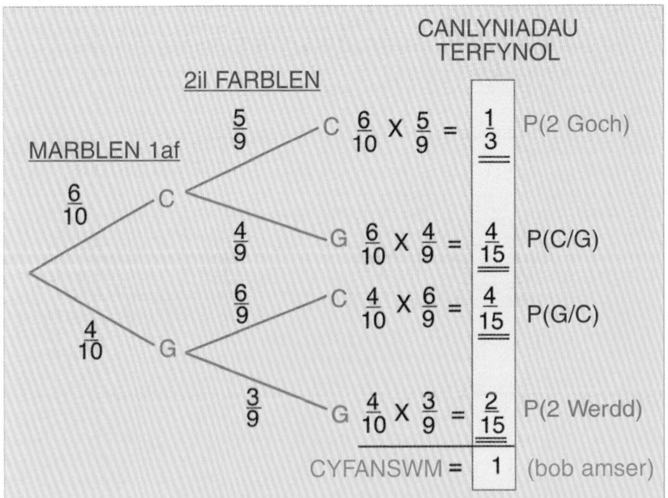

Ar ôl llunio'r diagram canghennog y cwbl sy'n rhaid i chi ei wneud i ateb y cwestiwn yw dewis y CANLYNIADAU TERFYNOL PERTHNASOL a'u HADIO:

2 GOCH (1/3)
2 WERDD (2/15)

$$\frac{1}{3} + \frac{2}{15} = \frac{7}{15}$$

Defnyddiwch gyfrifiannell ar gyfer hyn!

Y Prawf Hollbwysig:

DYSGWCH y DIAGRAM CYFFREDINOL ar gyfer Diagramau Canghennog a'r 4 pwynt sy'n mynd gyda nhw.

1) Gadewch i ni weld faint rydych wedi'i ddysgu: *CUDDIWCH Y DUDALEN AC YSGRIFENNWCH BOPETH A WYDDOCH AM DDIAGRAMAU CANGHENNOG*.
2) Mae Siôn a Rhys yn taflu dis i weld pwy fydd yn ennill. Lluniwch ddiagram canghennog i ddarganfod y tebygolrwydd y bydd Siôn yn ennill.

Graffiau a Siartiau

Gwnewch yn siŵr eich bod yn gwybod y manylion hawdd hyn:

1) Graffiau Llinell neu "Bolygonau Amlder"

Set o bwyntiau sydd wedi'u cysylltu gan linellau syth yw graff llinell neu "bolygon amlder".

GWERTHIANT Y LLYFR:
"1995: DIWEDD Y BYD"

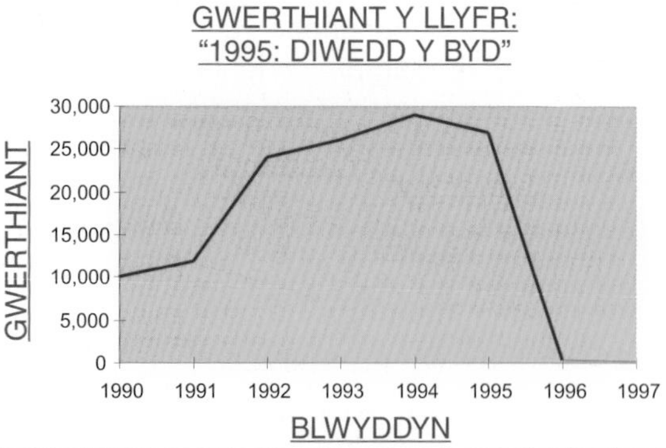

2) Siartiau Bar

Byddwch yn ofalus ynglŷn â phryd y dylai'r barrau gyffwrdd neu beidio â chyffwrdd:

Uchder coed mewn coedwig

Dewisiadau Poblogaidd yn Ffreutur yr Ysgol

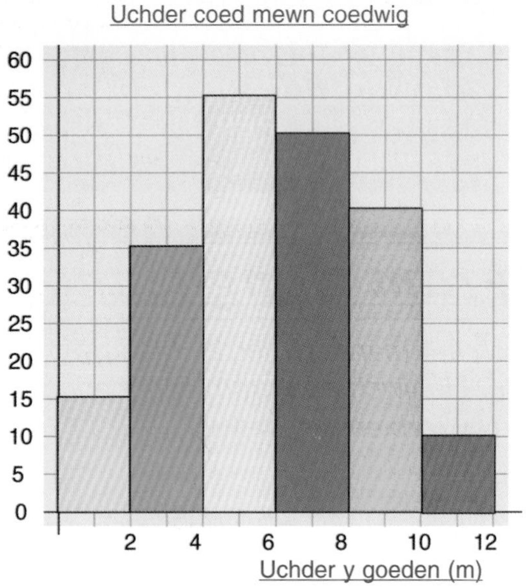

Mae POB bar yn y siart hwn ar gyfer HYDOEDD ac mae'n rhaid rhoi pob hyd posibl o fewn un bar neu'r nesaf. Felly, nid oes gofod rhwng y barrau.

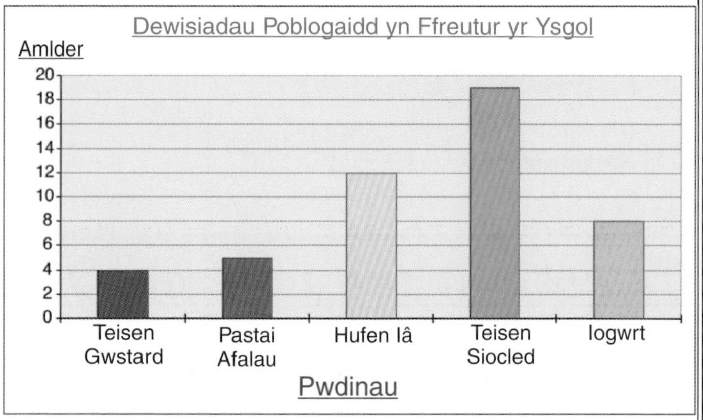

Mae'r siart hwn yn cymharu eitemau hollol wahanol, felly mae'r barrau ar wahân.

Mae GRAFF BAR-LLINELL yn debyg i siart bar, ond rydych yn llunio llinellau tenau yn hytrach na barrau.

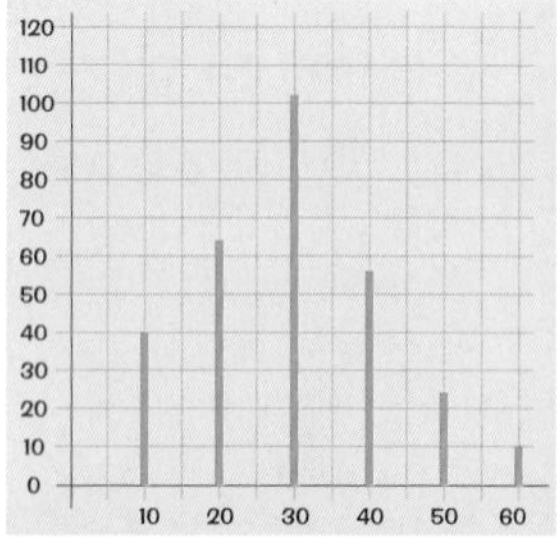

3) Graffiau Gwasgariad

1) Llawer o bwyntiau ar graff sy'n edrych fel pentwr o bwyntiau blêr yn hytrach na llinell neu gromlin yw GRAFF GWASGARIAD.

2) Mae gair i'w gael sy'n disgrifio maint y blerwch, sef CYDBERTHYNIAD.

3) Ystyr Cydberthyniad Da (neu Gydberthyniad Cryf) yw bod y pwyntiau'n ffurfio llinell weddol dda, a bod perthynas agos rhwng y ddau beth.

DIAGRAM GWASGARIAD YN DANGOS Y CYDBERTHYNIAD RHWNG Y BUANEDD MWYAF A'R MYG CYFARTALOG AR GYFER GWAHANOL GEIR

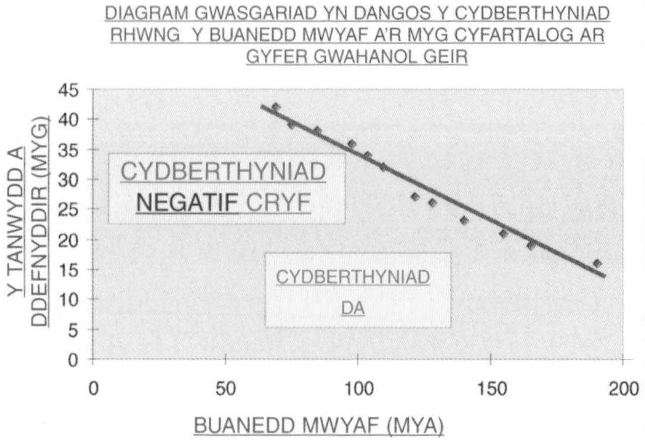

Graffiau a Siartiau

Graffiau Gwasgariad (parhad)

4) Ystyr *Cydberthyniad Gwael* (neu Gydberthyniad *Gwan*) yw bod y pwyntiau *dros y lle i gyd* ac felly *ychydig iawn o berthynas sydd rhwng y ddau beth*.
5) Os ydy'r pwyntiau'n ffurfio llinell sy'n goleddu I FYNY o'r chwith i'r dde, mae CYDBERTHYNIAD POSITIF, sy'n golygu bod *y ddau beth yn cynyddu neu'n lleihau gyda'i gilydd*.
6) Os ydy'r pwyntiau'n ffurfio llinell sy'n goleddu I LAWR o'r chwith i'r dde, mae CYDBERTHYNIAD NEGATIF, sy'n golygu bod *un peth yn lleihau wrth i'r llall gynyddu*.
7) Felly, pan fyddwch yn disgrifio graff gwasgariad, mae'n rhaid i chi nodi'r ddau beth, h.y. a yw'n gydberthyniad *cryf/gwan/canolig ac* a yw'n *bositif/negatif*.

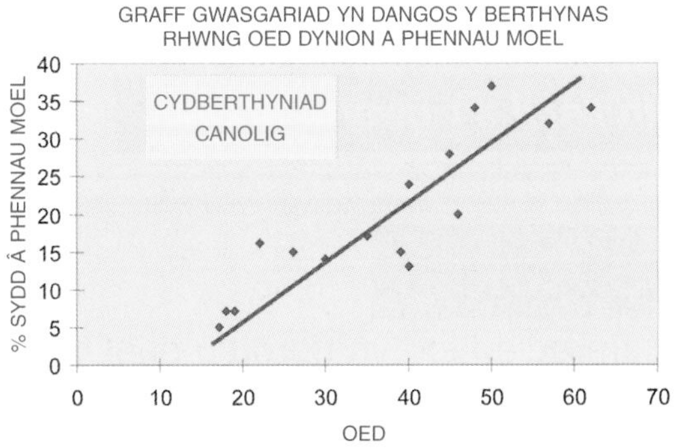

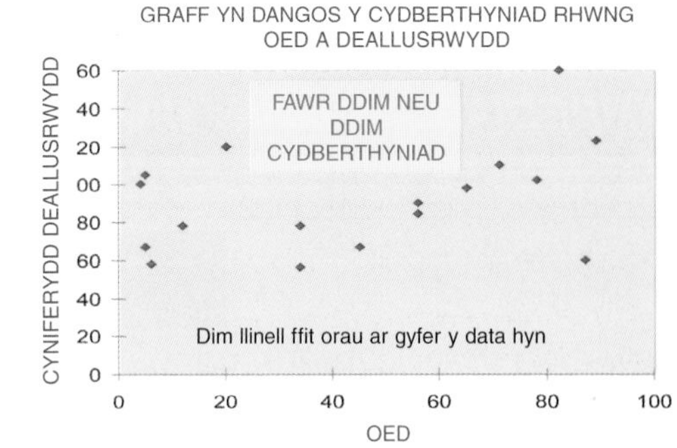

4) Siartiau Cylch

Dysgwch y Rheol Aur ar gyfer Siartiau Cylch:

CYFANSWM Popeth = 360°

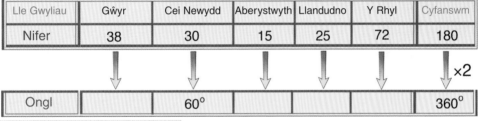

Lle Gwyliau	Gŵyr	Cei Newydd	Aberystwyth	Llandudno	Y Rhyl	Cyfanswm
Nifer	38	30	15	25	72	180

×2

Ongl		60°				360°

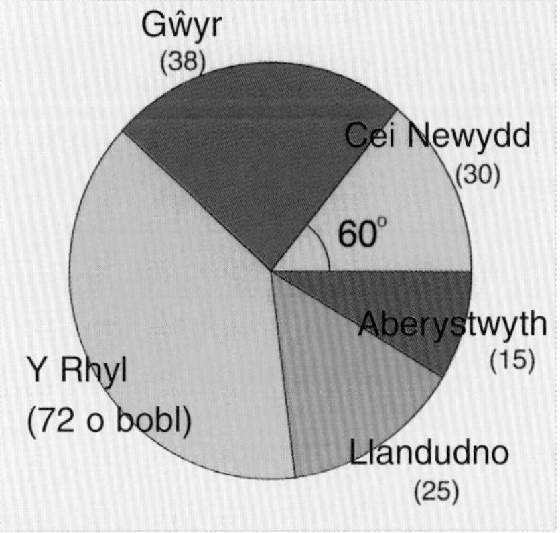

1) Adiwch y nifer ym mhob sector i gael y CYFANSWM (← 180 yma).
2) Yna darganfyddwch y LLUOSYDD (neu'r rhannydd) sydd ei angen i newid eich cyfanswm yn 360°.
   Ar gyfer 180 → 360 fel uchod, y LLUOSYDD yw 2.
3) Yna LLUOSWCH BOB RHIF Â 2 i gael yr ongl ar gyfer pob sector.
   E.e. yr ongl ar gyfer Cei Newydd fydd
   $30 \times 2 = 60°$.

Y Prawf Hollbwysig: DYSGWCH ENWAU y pedwar math o SIARTIAU.

1) Cuddiwch y dudalen a lluniwch enghraifft o bob un o'r 4 siart.
2) Cyfrifwch yr onglau ar gyfer y lleoedd gwyliau eraill yn y siart cylch a welir uchod.
3) Os ydy'r pwyntiau ar graff gwasgariad dros y lle i gyd, beth mae hynny'n ei ddangos ynglŷn â'r ddau beth y mae'r graff gwasgariad yn eu cymharu?

Cymedr, Canolrif, Modd ac Amrediad

Os na lwyddwch i ddysgu'r 4 diffiniad sylfaenol hyn, byddwch yn colli rhai o'r marciau hawsaf sydd i'w cael yn yr arholiad.

1) MODD = MWYAF cyffredin

Modd = mwyaf (pwysleisiwch y "mo" a'r "mw" wrth eu dweud)

2) CANOLRIF = gwerth CANOL

Canolrif = canol (pwyslais ar y gair "canol")

3) CYMEDR = CYFANSWM yr eitemau ÷ NIFER yr eitemau

Y cymedr yw'r cyfartaledd.

4) AMREDIAD = Y pellter rhwng y gwerth lleiaf a'r gwerth mwyaf

Y Rheol Aur:

Dylai gwybod ystyr cymedr, canolrif, modd ac amrediad fod yn ffordd o gael marciau hawdd, ond hyd yn oed ar ôl dysgu'r rhain mae rhai pobl yn colli marciau yn yr arholiad am nad ydynt yn cymryd y cam hollbwysig hwn:

AD-DREFNWCH y data mewn TREFN ESGYNNOL

(a gwnewch yn siŵr fod gennych yr un nifer o ddata!)

Enghraifft: *"Darganfyddwch gymedr, canolrif, modd ac amrediad y rhifau hyn:"*

6, -1, 5, -5, 0, 2, 8, 8, -7, 9, 6, 8 (12)

1) YN GYNTAF... ad-drefnwch nhw: -7, -5, -1, 0, 2, 5, 6, 6, 8, 8, 8, 9 (✓12)

2) CYMEDR = $\frac{\text{cyfanswm}}{\text{nifer y rhifau}} = \frac{-7-5-1+0+2+5+6+6+8+8+8+9}{12}$

$= 39 \div 12 = \underline{3.25}$

3) CANOLRIF = y gwerth canol (dim ond pan fyddant wedi'u trefnu yn ôl maint).

Pan fydd DAU RIF CANOL, fel y gwelir yn yr achos hwn, bydd y canolrif HANNER FFORDD RHWNG Y DDAU RIF CANOL.

-7, -5, -1, 0, 2, 5, 6, 6, 8, 8, 8, 9

← chwe rhif yr ochr hon ↑ chwe rhif yr ochr hon →

Canolrif = 5.5

4) MODD = y gwerth mwyaf cyffredin, sef 8 (neu gallwn ddweud mai'r gwerth moddol yw 8)

5) AMREDIAD = y pellter o'r gwerth lleiaf i'r gwerth mwyaf, h.y. o -7 hyd at 9, = 16

Y Prawf Hollbwysig: DYSGWCH y Pedwar Diffiniad a'r RHEOL AUR...

... yna cuddiwch y dudalen hon ac ysgrifennwch nhw oddi ar eich cof.

1) Defnyddiwch bopeth rydych wedi'i ddysgu i ddarganfod cymedr, canolrif, modd ac amrediad y set hon o ddata: 11, 21, -10, 0, 2, 18, 16, 4, 11, -21, -5, 25, -7.

Tablau Amlder

Gall Tablau Amlder gael eu llunio mewn *rhesi* neu mewn *colofnau* o rifau. Gallant fod yn eithaf dyrys, ond nid os dysgwch yr wyth pwynt allweddol hyn:

Wyth Pwynt Allweddol

1) MAE POB TABL AMLDER YR UN FATH.
2) Ystyr y gair AMLDER yw NIFER. Felly tabl sy'n dangos y "Nifer" ym mhob grŵp yw tabl amlder.
3) Mae'r RHES (neu'r golofn) GYNTAF yn rhoi LABELI'R GRWPIAU.
4) Mae'r AIL RES (neu golofn) yn rhoi'r DATA GO IAWN.
5) Mae'n rhaid i chi eich hun GYFRIFO'R DRYDEDD RES (neu golofn).
6) Gellir darganfod y CYMEDR bob amser drwy ddefnyddio:

   Cyfanswm Rhes 3 ÷ Cyfanswm Rhes 2.

7) Y CANOLRIF yw'r GWERTH CANOL yn yr 2il res.
8) Y gwahaniaeth rhwng y gwerthoedd EITHAF yn y rhes gyntaf yw'r AMREDIAD.

Enghraifft

Dyma dabl amlder nodweddiadol wedi'i lunio ar FFURF RHESI ac ar FFURF COLOFNAU:

Nifer y Llythyrau	Amlder
0	5
1	9
2	8
3	6
4	3
5	0
6	1

Nifer y Llythyrau	0	1	2	3	4	5	6
Amlder	5	9	8	6	3	0	1

Ar Ffurf Colofnau

Ar Ffurf Rhesi

Does dim gwahaniaeth rhwng y ddwy ffurf a gallech gael y naill neu'r llall yn yr arholiad. Pa fath bynnag a gewch, cofiwch y TAIR FFAITH BWYSIG HYN:

1) Mae'r RHES (neu'r golofn) GYNTAF yn rhoi LABELI'R GRWPIAU ar gyfer y gwahanol gategorïau: h.y. "dim llythyrau", "un llythyr", "dau lythyr", etc.

2) Yr AIL RES (neu golofn) yw'r DATA GO IAWN ac mae'n dangos NIFER (y tai) ym mhob categori
h.y. roedd 5 tŷ "heb ddim llythyrau", roedd gan 9 tŷ "un llythyr", etc.

3) OND DYLECH SYLWEDDOLI *NAD* YW'R TABL YN *GYFLAWN*, gan fod angen TRYDEDD RES (neu golofn) a DAU GYFANSWM ar gyfer yr 2il a'r 3edd res (neu golofn), fel y dangosir ar y dudalen nesaf:

Tablau Amlder

Dyma sut mae'r ddau fath o dabl yn ymddangos ar ôl eu cwblhau:

Nifer y llythyrau	0	1	2	3	4	5	6	Cyfanswm	
Amlder	5	9	8	6	3	0	1	32	(Tai yn y stryd)
Nifer × Amlder	0	9	16	18	12	0	6	61	(Llythyrau a gafwyd)

Nifer y llythyrau	Amlder	Nifer × Amlder
0	5	0
1	9	9
2	8	16
3	6	18
4	3	12
5	0	0
6	1	6
Cyfanswm	32	61
	(Tai yn y stryd)	(Llythyrau a gafwyd)

"O ble daw'r drydedd res?"

Rydych yn cael Y DRYDEDD RES (neu golofn) BOB AMSER drwy LUOSI rhifau'r 2 RES (neu'r 2 golofn) GYNTAF.

Y DRYDEDD RES = RHES 1AF × 2IL RES

Ar ôl cwblhau'r tabl, mae'n hawdd darganfod Y CYMEDR, Y CANOLRIF, Y MODD A'R AMREDIAD (gweler tud. 90) a dyma'r pethau y gofynnir amdanynt fel rheol yn yr arholiad:

Cymedr, Canolrif, Modd ac Amrediad

Mae hyn yn hawdd *os byddwch yn ei ddysgu*. Fel arall, byddwch yn boddi mewn môr o rifau.

1) CYMEDR = $\frac{\text{Cyfanswm y 3edd res}}{\text{Cyfanswm yr 2il res}}$ $= \frac{61}{32} =$ 1.91 (Llythyrau am bob tŷ)

2) CANOLRIF: - RHOWCH y data gwreiddiol *MEWN TREFN ESGYNNOL:*

00000 111111111 22222222 333333 444 6

Yma mae'r canolrif rhwng y 16eg digid a'r 17eg digid. Felly, ar gyfer y data hyn Y CANOLRIF YW 2.
(Ar ôl dysgu gwneud hyn gallwch ddarganfod safle'r gwerth canol yn syth o'r tabl)

3) Mae'r MODD yn *hawdd iawn* - dyma'r GRŴP Â'R AMLDER MWYAF: h.y. 1

4) Yr AMREDIAD yw 6 - 0 = 6 Mae'r rhes gyntaf yn dangos bod yna dai sydd "heb ddim llythyrau" hyd at dai sydd â "6 llythyr" (ond dim â 5 llythyr). (Rhowch hwn bob amser fel *rhif unigol*.)

Y Prawf Hollbwysig:

DYSGWCH yr 8 RHEOL ar gyfer Tablau Amlder, yna cuddiwch y dudalen a'u HYSGRIFENNU i weld faint rydych yn ei wybod.

Gan ddefnyddio'r dulliau rydych newydd eu dysgu a'r tabl amlder hwn, darganfyddwch GYMEDR, CANOLRIF, MODD ac AMREDIAD nifer y setiau teledu sydd gan bobl.

Nifer y setiau teledu	0	1	2	3	4	5	6
Amlder	2	33	28	17	6	3	1

Tablau Amlder Grŵp

Mae'r rhain yn fwy anodd na thablau amlder syml, ond gallan nhw ymddangos yn dwyllodrus o syml, fel yr un canlynol sy'n dangos dosraniad pwysau 60 o blant ysgol.

Pwysau (kg)	31—40	41—50	51—60	61—70	71—80
Amlder	8	16	18	12	6

Ffiniau Dosbarth a Gwerthoedd Canol Cyfwng

Y ddau hyn sy'n gwneud tablau amlder grŵp mor anodd.

1) Y FFINIAU DOSBARTH yw'r union werthoedd lle rydych yn symud o un grŵp i'r grŵp nesaf. Yn y tabl uchod y ffiniau dosbarth yw 40.5, 50.5, 60.5, etc. Nid yw'n anodd cyfrifo ffiniau dosbarth os ydych yn deall y syniad. Maen nhw bron bob amser yn "rhywbeth.5" - am resymau amlwg.
2) Mae'r GWERTHOEDD CANOL CYFWNG yn eithaf amlwg ac fel rheol yn "rhywbeth.5" hefyd. Ond mae'n rhaid bod yn ofalus i wneud yn siŵr y cewch yr union ganol!

"Amcangyfrif" y Cymedr drwy ddefnyddio Gwerthoedd Canol Cyfwng

Yn debyg i dablau amlder cyffredin, mae'n rhaid i chi *ychwanegu rhesi eraill a darganfod cyfansymiau* i gyfrifo unrhyw beth. Cofiwch hefyd *mai dim ond "amcangyfrif" y cymedr y gallwch ei wneud ar sail tablau data grŵp* - allwch chi ddim ei ddarganfod yn union heb wybod y gwerthoedd gwreiddiol i gyd.

1) Ychwanegwch 3edd res: y GWERTHOEDD CANOL CYFWNG ar gyfer pob grŵp.
2) Ychwanegwch 4edd res: AMLDER × GWERTH CANOL CYFWNG ar gyfer pob grŵp.

Pwysau (kg)	31—40	41—50	51—60	61—70	71—80	CYFANSWM
Amlder	8	16	18	12	6	60
Gwerth Canol Cyfwng	35.5	45.5	55.5	65.5	75.5	—
Amlder × Gwerth Canol Cyfwng	284	728	999	786	453	3250

1) Gellir AMCANGYFRIF Y CYMEDR drwy RANNU'R CYFANSYMIAU:

$$\text{Cymedr} = \frac{\text{Cyfanswm Terfynol (Rhes Olaf)}}{\text{Cyfanswm yr Amlder (2il Res)}} = \frac{3250}{60} = 54.2$$

2) Mae'r MODD yn hawdd: y grŵp moddol yw 51 - 60kg (yr un sydd â'r nifer mwyaf o gofnodion).
3) Ni ellir darganfod y CANOLRIF yn union, ond gellir dweud ym mha grŵp y mae. Pe bai'r data'n cael eu rhoi mewn trefn, byddai'r 30ain/31ain cofnod yn y grŵp 51 - 60kg.

Y Prawf Hollbwysig:

DYSGWCH yr holl fanylion ar y dudalen hon, yna cuddiwch y dudalen ac ysgrifennwch bopeth rydych wedi'i ddysgu.

1) Amcangyfrifwch y cymedr o'r tabl hwn:
2) Nodwch hefyd y grŵp moddol a brasamcan o werth y canolrif.

Oed (blyn)	21 — 30	31 — 40	41 — 50	51 — 60
Amlder	58	61	46	42

Tablau Amlder Cronnus

Fel rheol cewch dabl ar ei hanner a gofynnir i chi ei gwblhau fel tabl amlder cronnus. Mae hynny'n golygu ychwanegu trydedd res a'i llenwi (fel y gwelir yn yr enghraifft isod). Gwnewch yn siŵr eich bod yn gwybod y rhain:

PEDWAR PWYNT ALLWEDDOL

1) Mae AMLDER CRONNUS yn golygu ADIO WRTH FYND YMLAEN. Felly mae pob cofnod mewn tabl amlder cronnus yn rhoi'r "CYFANSWM HYD YMA".

2) Mae'n rhaid i chi YCHWANEGU TRYDEDD RES at y tabl - dyma GYFANSWM CYFREDOL yr 2il res.

3) Os byddwch yn plotio graff, dylech blotio'r pwyntiau gan ddefnyddio'r GWERTH UCHAF ym mhob grŵp (o res 1) a'r gwerth o res 3 (h.y. plotio ar y ffiniau dosbarth) h.y. yn yr enghraifft isod, plotio 13 ar 160.5, 33 ar 170.5, etc.

4) Caiff AMLDER CRONNUS ei blotio bob amser i fyny ochr y graff, nid ar draws.

Enghraifft

"Cwblhewch y tabl isod i roi'r amlder cronnus."

Uchder (cm)	141–150	151–160	161–170	171–180	181–190	191–200	201–210
Amlder	4	9	20	33	36	15	3

ATEB: *Ychwanegwch y drydedd res* lle bydd pob cofnod yn rhes 3 (amlder cronnus) yn rhoi'r "CYFANSWM HYD YMA" ar gyfer y rhifau amlder (rhes 2).

Uchder (cm)	141–150	151–160	161–170	171–180	181–190	191–200	201–210
Amlder	4	9	20	33	36	15	3
Amlder Cronnus	4 (YN150.5)	13 (YN160.5)	33 (YN170.5)	66 (YN180.5)	102 (YN190.5)	117 (YN200.5)	120 (YN210.5)

Bydd y graff yn cael ei blotio gan ddefnyddio'r parau hyn: (150.5, 4) (160.5, 13) (170.5, 33) (180.5, 66) etc. oherwydd bod yr amlder cronnus wedi cyrraedd y gwerthoedd hynny (4, 13, 33 etc) erbyn PEN UCHAF pob grŵp, nid yng nghanol pob grŵp, a *150.5* yw'r gwir *FFIN DOSBARTH* rhwng y grŵp cyntaf a'r nesaf.

Y Prawf Hollbwysig:

DYSGWCH y 4 Pwynt Allweddol, yna cuddiwch y dudalen a'u hysgrifennu.

1) Cwblhewch y tabl hwn i roi'r amlder cronnus.

Uchder (cm)	151 – 160	161 – 170	171 – 180	181 – 190
Amlder	5	18	21	6

Cromlin Amlder Cronnus

Mae top y graff bob amser yn hafal i GYFANSWM yr Amlder Cronnus (= 120 yn yr achos hwn)

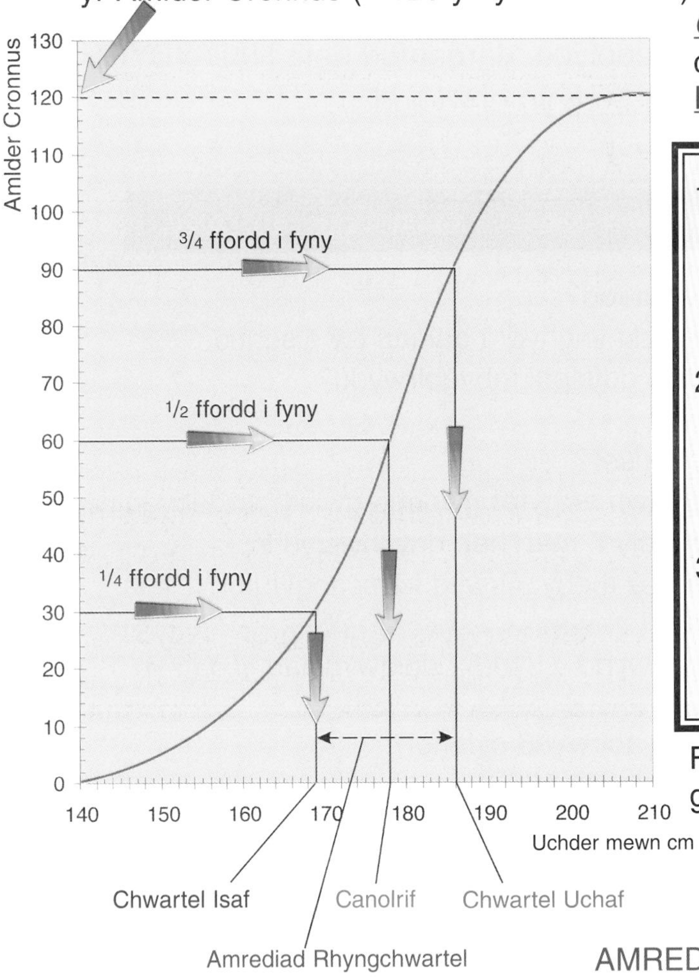

O'r gromlin amlder cronnus gallwch ddarganfod TRI YSTADEGYN HANFODOL:

1) CANOLRIF
   Yn union hanner ffordd I FYNY, yna ar draws, ac yna i lawr a *darllenwch y raddfa ar y gwaelod*.

2) CHWARTELAU ISAF AC UCHAF
   Yn union 1/4 a 3/4 ffordd I FYNY yr ochr, yna ar draws, ac yna i lawr a *darllenwch y raddfa ar y gwaelod*.

3) YR AMREDIAD RHYNGCHWARTEL
   Dyma'r pellter, *ar y raddfa ar y gwaelod*, rhwng y chwartel isaf a'r chwartel uchaf.

Felly, o'r gromlin amlder cronnus uchod, gallwn gael y canlyniadau hyn yn hawdd:

CANOLRIF = 178cm
CHWARTEL ISAF = 169cm
CHWARTEL UCHAF = 186cm
AMREDIAD RHYNGCHWARTEL = 17cm (186-169)

Dehongli'r Siâp

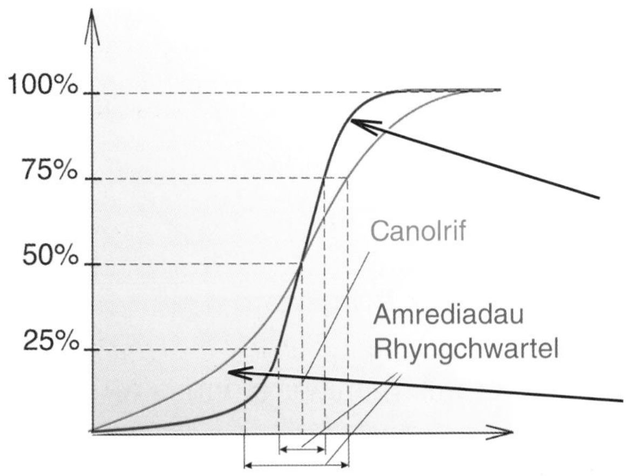

Mae siâp CROMLIN AMLDER CRONNUS hefyd yn dangos beth yw *gwasgariad* gwerthoedd y data.

Mae'r dosraniad 'clòs' yma (sydd ag amrediad rhyngchwartel bach) yn cynrychioli canlyniadau CYSON iawn, sydd fel rheol yn beth da - e.e. *mae hydoedd oes batrïau neu fylbiau golau* sy'n agos iawn at ei gilydd yn golygu *cynnyrch da*, o'i gymharu â'r gromlin arall lle mae *amrywiad mawr* rhwng yr hydoedd oes, h.y. cynnyrch o safon isel.

Y Prawf Hollbwysig: **DYSGWCH Y DUDALEN HON, yna cuddiwch hi ac ysgrifennwch y manylion pwysig i gyd.**

1) Gan ddefnyddio eich tabl amlder gorffenedig o'r dudalen flaenorol, lluniwch graff amlder cronnus a'i ddefnyddio i ddarganfod y tri ystadegyn hanfodol.

Crynodeb Adolygu ar gyfer Adran 4

Dyma restr o gwestiynau i brofi faint a wyddoch. Cofiwch y bydd y cwestiynau hyn yn dangos yn gynt na dim arall beth yn union rydych yn ei *wybod* a beth *nad ydych yn ei wybod*. A dyna ddiben adolygu: darganfod beth NAD YDYCH yn ei wybod ac yna ei ddysgu nes y byddwch yn ei wybod.

Daliwch ati i ddysgu'r ffeithiau sylfaenol hyn nes y byddwch yn eu gwybod.

1) Pa mor fawr neu fach y gall tebygolrwydd fod?
2) Lluniwch linell i ddangos pob tebygolrwydd ynghyd â geiriau i'w disgrifio.
3) Pa dri math o rifau y gellir eu defnyddio i ddynodi tebygolrwydd?
4) Sut y dylid darllen $P(x) = {}^1/_2$?
5) Pa rif yw cyfanswm tebygolrwydd bob amser?
6) Pa fotwm cyfrifiannell sy'n ddefnyddiol iawn ar gyfer gwneud gwaith ar debygolrwydd?
7) Beth yw arwyddocâd llawn "gan ddychwelyd" neu "heb ddychwelyd"?
8) Beth yw'r ddwy fformiwla sy'n ymwneud â thebygolrwydd amcangyfrifol?
9) Beth yw tebygolrwydd cyfunol?
10) Beth allwch chi ei ddweud am y tebygolrwydd y bydd 2 ddigwyddiad *ill dau* yn digwydd?
11) Beth yw'r tair rheol ar gyfer delio â thebygolrwydd cyfunol?
12) Beth yw'r rheol A HEFYD/NEU?
13) Lluniwch ddiagram canghennog cyffredinol gyda'r holl nodweddion sydd gan bob diagram canghennog.
14) Rhowch enwau'r pedwar math gwahanol o siartiau ar gyfer arddangos data.
15) Lluniwch 2 enghraifft o bob un o'r mathau hyn o siartiau.
16) Pryd y dylai barrau siart amlder gyffwrdd a pheidio â chyffwrdd?
17) Beth yw ystyr cydberthyniad? Lluniwch graffiau yn dangos y 3 gradd wahanol.
18) Beth yw'r 3 cham ar gyfer darganfod yr onglau mewn siart cylch?
19) Rhowch y diffiniadau ar gyfer cymedr, canolrif, modd ac amrediad.
20) Beth yw'r Rheol Aur ynglŷn â chymedr, canolrif etc.?
21) Beth yw'r wyth pwynt allweddol ar gyfer tablau amlder?
22) Sut y byddwch yn cyfrifo'r cymedr a'r canolrif ar sail tabl amlder?
23) Sut y byddwch yn darganfod y modd a'r amrediad ar sail tabl amlder?
24) Beth yw'r gwahaniaeth rhwng Tabl Amlder a Thabl Amlder *Grŵp*?
25) Pa 2 beth sy'n gwneud Tablau Amlder Grŵp mor anodd?
26) Sut y byddwch yn amcangyfrif y cymedr ar sail tabl amlder grŵp?
27) Beth yw'r pedwar pwynt allweddol ar gyfer amlder cronnus?
28) Oes angen i chi ystyried ffiniau dosbarth wrth blotio cromlin amlder cronnus ar sail tabl gwerthoedd? Pam?
29) Brasluniwch graff amlder cronnus nodweddiadol.
30) Beth yw'r 3 ystadegyn hanfodol y gallwch eu cael o graff amlder cronnus?
31) Eglurwch sut yn union y byddwch yn eu cael, a defnyddiwch eich graff i roi enghraifft o hyn.
32) Sut y byddwch yn penderfynu lle mae hanner ffordd i fyny'r graff?

Atebion

ADRAN 1

Tud.1 Lluosrifau, Ffactorau a Ffactorau Cysefin: 1) 8,16,24,32,40,48,56,64,72,80 ac 11,22,33,44,55,66,77,88,99,110
2) 1,2,3,4,6,8,12,24 ac 1,2,3,4,5,6,10,12,15,20,30,60 3) 350 = 2×5×5×7, 480 = 5×3×2×2×2×2×2.

Tud.2 Rhifau Cysefin: 1) 61, 67, 71, 73, 79, 83, 89. 2) 2, 3, 5, 7, 11, 13, 17, 19, 23, 29, 31, 37, 41, 43, 47.

Tud.3 Dilyniannau Arbennig o Rifau:
1) a) EILRIFAU: 2,4,6,8,10,12,14,16,18,20,22,24,26,28,30 b) ODRIFAU: 1,3,5,7,9,11,13,15,17,19,21,23,25,27,29
c) RHIFAU SGWÂR: 1,4,9,16,25,36,49,64,81,100,121,144,169,196,225 d) RHIFAU CIWB: 1,8,27,64,125,216,343,512,729, 1000,1331,1728,2197,2744,3375 e) RHIFAU TRIONGL: 1,3,6,10,15,21,28,36,45,55,66,78,91,105, 120
2) 36. 3) a) 1,25,27,49,125 b) 1,16,25,49,64,100,144 c) 1,27,64,125.

Tud.4 Ffracsiynau Cywerth: a) 1/2. b) 1/3. c) 1/5. d) 1/8. e) 1/7. f) 1/5. g) 1/4. h) 3/4.

Tud.5 Ffracsiynau, Degolion a Chanrannau:

Ffracsiwn	Degolyn	Canran
3/4	0.75	75%
1/5	0.2	20%
7/10	0.7	70%
11/20	0.55	55%
13/20	0.65	65%
7/25	0.28	28%

Tud.6 Talgrynnu: 1) 1.07 2) 12.16 3) 90.253 4) 256.0

Tud.7 Talgrynnu: 1) a) 7.31 b) 0.06 c) 1.08 d) 4.60
2) a) 0.0358 (Rheol 1) b) 63600 (Rheol 3) c) 346 (Rheol 3) d) 0.710 (Rheolau 2 & 3).
3) 17 troedfedd 6 modfedd i 18 troedfedd 6 modfedd.

Tud.9 Manwl Gywirdeb ac Amcangyfrif: 1) a) Yn fras 600 milltir × 150 milltir = 90,000 milltir sgwâr.
b) Yn fras 7 modfedd wedi'i giwbio = 343 modfedd ciwbig; 2) a) 2.6kg; b) 183cm ; c) 1000 ; d) 118mya.

Tud.10 Ffactorau Trawsnewid: 1) 5400m 2) £28 3) 32cm.

Tud.11 Unedau Metrig ac Imperial: 1) 88km/awr 2) 220 o lathenni 3) 185cm 4) 70c 5) 11¼ litr.

Tud.13 Ffracsiynau: 1 a) 5/28 b) 6/5 c) 2/3 d) 3/5. 2 a) 0.6 b) 22/25 c) 3/10 d) 1⅑ e) 3/8 f) x=13 g) 9.

Tud.15 Canrannau: 1) Math 1, £258.50 2) Math 3, £110 3) Math 2, £30, 12.5%.

Tud.19 Botymau Cyfrifiannell: 1) Gweler tud.16 2) Gweler tud.16 3) Gweler tud.17 4) Ffracisynau
5) 0.37 6) a) [13] [X^2] b) [3] [+/-] [×] [7] [+/-] [=] 7) a) [7] [x^y] [4] [=] b) [7] [EXP] [4] 8) DEG.

Tud.21 Cymarebau: 1a) 5 : 8 b) 2 : 3 c) 1 : 2 2) 35 cyfran 3) £2700 : £600 : £1800.

Tud.23 Y Ffurf Indecs Safonol: 1) Gweler tud.22 2) 9.271 x 10^5 3) 2.85 x 10^{-3} 4) 73400 5) $6{\cdot}\dot{6}\times10^{18}$ 666.....(18 chwech!)$\cdot\dot{6}$

Tud.24 Pwerau: 1) a) 2^7 b) 3 c) 7^8 d) 4^8 e) 6^2 f) 6^7 g) 8^6 ; 2) a) 4 b) 8 c) 11 d) 3 e) 4 f) 5.

Tud.25 Ail Israddau a Thrydydd Israddau: 1) a) 8.06 b) 6.87 c) 12.25 d) 9.61 2 a) $y = 5$ b) $t = 5$ c) 2.

ADRAN 2

Tud.29 Algebra Sylfaenol: 1) a) $-3x + y - 2$ b) $3w + 6k - 12k^2 + 8$ 2) a) $8a^2b - 6ab^3$ b) $10f^2 + 7f - 12$
c) $1 - 4x + 4x^2$ 3) a) $6q^2r(2r^2 - 4 + 5qr^3)$ b) $3xy(2x^2y - x + 4y^2z)$.

Tud.30 Patrymau Rhif: 1) Gweler tud. 30; 2) a) 1250, 6250 b) 55, 27.5 c) 17, 23 d) 16, 20.

Tud.31 Darganfod yr $n$fed Term: 1 a) $3n + 2$ b) $7 - 10n$ c) $\frac{1}{2}n(n+1)$ d) $n^2 - 2n + 6$.

Tud.32 Rhifau Negatif: 1a) +14 (Rheol 1) b) -4 (Rheol 2) c) x (Rheol 1) d) -5 (Rheol 1)
2a) 12 b) -216 c) 0 d) -113.

Tud.33 Rhoi Gwerthoedd mewn Fformiwlâu: 2) 20°C.

Tud.34 Y Ffordd Hawdd o Ddatrys Hafaliadau: 1) $x = 11$ 2) $x = 2$. Tud.35 Cynnig a Gwella: 1) $x = 1.7$.

Tud.36 Y Dull Cydbwyso ar gyfer Hafaliadau: 1) $x = 3$. Tud.37 Datrys Hafaliadau: 1) a) $x = 1$ b) $x = -1$.

Tud.38 Ad-drefnu Fformiwlâu: 1) $C = \frac{5}{9}(F - 32)$, $F = \frac{9}{5}C + 32$ 2) a) $m = -7n/6$ b) $m = np/(p + n)$.

Tud.40 Dwysedd a Buanedd: 1) Gweler tud.40 2) 12.38g/cm³ 3) 569.36g 4) Tud.40 5) Amser = 25 awr Pellter = 18.9km
Tud.41 Fformiwlâu: 1) 0 awr, 32 munud 38 eiliad.

Tud.42 Cyfesurynnau X, Y a Z: 1) A(5,2) B(4,0) C(6,-2) D(0,-1) E(-2,-5) F(-5,0) G(-2,3) H(0,3)
2) C(0,3,0) D(0,0,0) E(5,0,2) F(5,3,2) G(0,3,2) H(0,0,2)

Tud.43 Graffiau Hawdd y Dylech eu Gwybod: 1) a) $y = x$ b) $y = -x$ c) $y = 2$ d) $y = \frac{1}{2}x$ 2)

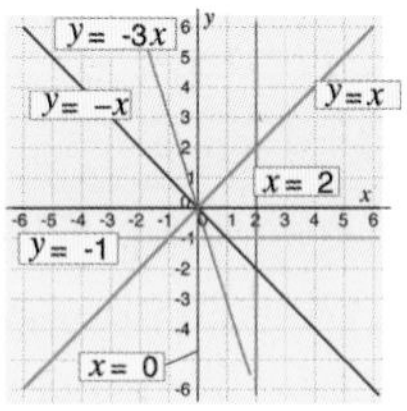

Tud.44 Darganfod Graddiant Llinell: 1)

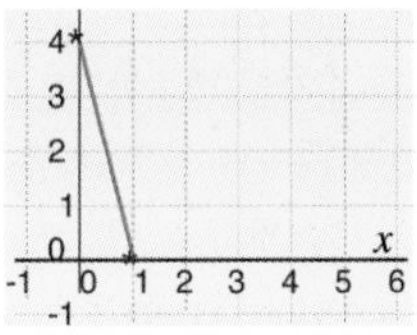

Graddiant = -4

Tud.48 Plotio Graffiau Llinell Syth:
1)

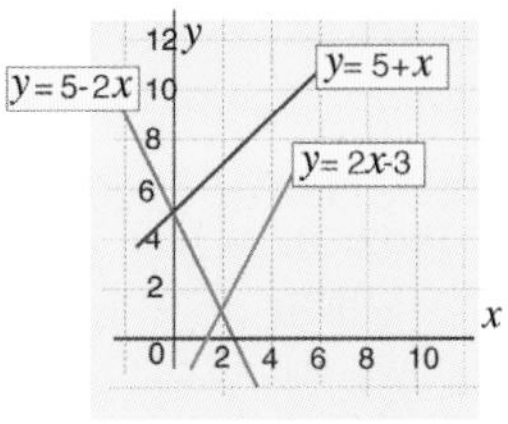

Tud.49: 1)

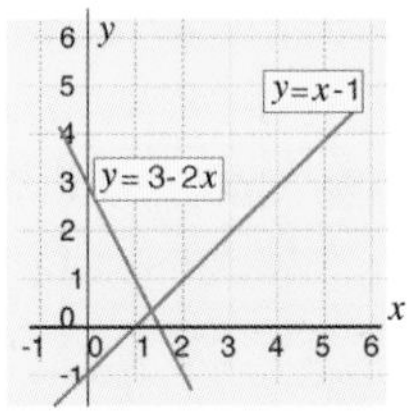

Tud.49: 2) a) $y=x+4$; b) $y=2-3x$; c) $y=\frac{1}{2}x+\frac{1}{2}$.

Atebion

ADRAN 2 (parhad)

Tud.51 Cwestiynau Cyffredin ar Graffiau: 1)

x	-2	-1	0	1	2	3	4	5	6
y	15	8	3	0	-1	0	3	8	15

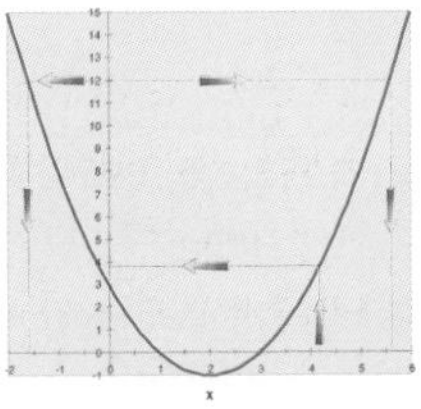

2) $y = 3.4$, $x = 5.6$ ac -1.6 3) Milltiroedd y Galwyn, h.y. y tanwydd a ddefnyddir 4) 1/2km/a.

Tud.52 Ehangu Cromfachau: 1) $x^2 + 8x + 7$; 2) $x^2 + 2x - 3$; 3) $x^2 + 4x - 12$; 4) $x^2 - 9x + 20$.

Tud.53 Ffactorio Cwadratig: 1) a) $x = -4$ neu 2 b) $x = -8$ neu 3 c) $x = 4$ neu -3 d) $x = -7$ neu 4.

Tud.54 Hafaliadau Cydamserol: $v = 6$; $w = -4$.

Tud.55 Hafaliadau Cydamserol: Datrysiad = (-3/5, -4/5).

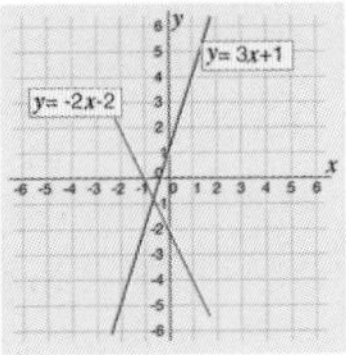

Tud.56 Anhafaleddau: 1) $x \geqslant -4$ 2) -2, -1, 0 , 1, 2.

Tud.57 Anhafaleddau Graffigol:

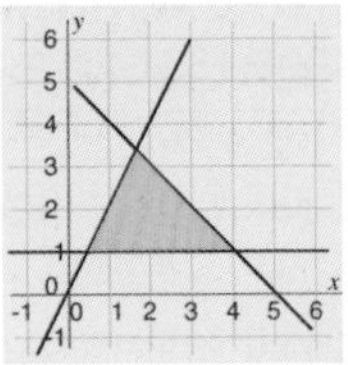

ADRAN 3

Tud.59 Polygonau Rheolaidd: 1)–4) Gweler tud.23 5) Ongl allanol = 60°, Ongl fewnol = 120°
6) Ongl allanol = 36°, Ongl fewnol = 144°

Tud.61 Cymesuredd:

I : 2 linell cymesuredd, Cymesuredd cylchdro trefn 2,
E : 1 llinell cymesuredd, dim cymesuredd cylchdro,
W : 1 llinell cymesuredd, dim cymesuredd cylchdro,
S : dim llinell cymesuredd, Cymesuredd cylchdro trefn 2,
N : dim llinell cymesuredd, Cymesuredd cylchdro trefn 2
Y : 1 llinell cymesuredd, dim cymesuredd cylchdro
Z : dim llinell cymesuredd, Cymesuredd cylchdro trefn 2
T : 1 llinell cymesuredd, dim cymesuredd cylchdro

Tud.64 Cwestiynau ar Gylchoedd: 1) Arwynebedd = 0.785m^2 Cylchedd = 3.142m 2) A = 11310cm^2 , C = 377cm

Tud.65 Perimedrau ac Arwynebeddau: 2) Perimedr = 36.97cm Arwynebedd = 84.31cm^2.

Tud.66 Cyfaint (Cynhwysedd): a) Prism Trapesoid, C = 336 cm^3 b) Silindr, C = 0.60m^3

Tud.67 Solidau a Rhwydi: 1) 264cm^2 2) 150cm^2 3) 298cm^2 4) 192cm^2 .

Tud.69 Geometreg: 1) 70° yr un 2) a =115° b =80° 3) 540° 4) 100° ac 80° fel hyn

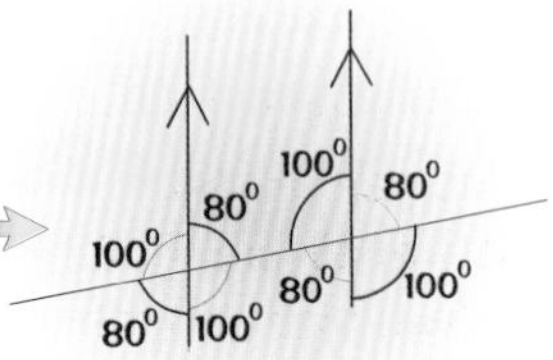

Tud.71 Nodiant Tair Llythyren ar gyfer Onglau: 1) BAC = 35° a) DAC=30° b) BAD=65°

Tud.72 Hyd, Arwynebedd a Chyfaint: 1) πr^2 = Arwynebedd, Lwh = Cyfaint, πd = Perimedr, $\frac{1}{2}bh$ = Arwynebedd, $2bh + 3bd$ = Arwynebedd, $4r^2h + \pi d^3$ = Cyfaint, $3\pi r(2a + 3b)$ = Arwynebedd

Tud.73 Cyflunedd a Helaethiad: 1) 540 cm^3

Tud.75 Y Pedwar Trawsffurfiad: 1) A→B, Trawsfudiad o $\begin{pmatrix} 5 \\ -1 \end{pmatrix}$; B→C, Adlewyrchiad yn yr echelin x
C→D, Cylchdro 90°, clocwedd, o amgylch y tarddbwynt

Tud.76 Theorem Pythagoras: 1) 4m; mae 6, 8, 10 hefyd yn gweithio. 2) PQ=24m.

Tud.77 Cyfeiriannau: 1) 75° 2) 255° Tud.79 Trigonometreg: 1) 31.79° 2) X = 14.8m 3) 32.5° (y ddwy)

Tud.81 Locysau a Lluniadau: 1) Yr un pellter o ddwy linell benodol. 2) Yr un pellter o ddau bwynt penodol.

ADRAN 4

Tud.83/84 Tebygolrwydd: 1) 4/5 Tud.84: 1) Ddim yn debygol iawn 2) 2/3 3) 1/18 4) DCG; DGC; CDG; CGD; GDC; GCD.

Tud.85 Amcangyfrif Tebygolrwydd: 294 Tud.86 Tebygolrwydd Cyfunol: 2) 1/11050

Tud.87 Diagramau Canghennog: 2) 15/36

Tud.89 Graffiau a Siartiau: 2) Does dim perthynas rhwng y ddau beth, h.y. dim cydberthyniad.
3) Gŵyr 76°; Aberystwyth 30°; Llandudno 50°; Y Rhyl 144°.

Tud.90 Cymedr, Canolrif, Modd ac Amrediad: Yn gyntaf, gwnewch hyn: -21, -10, -7, -5, 0, 2, 4, 11, 11, 16, 18, 21, 25 (13 rhif)
Yna fe gewch: Cymedr = 5, Canolrif = 4, Modd = 11, Amrediad = 46

Tud.92 Tablau Amlder:

Nifer y setiau teledu	0	1	2	3	4	5	6	CYFANSWM
Amlder	2	33	28	17	6	3	1	90
Nifer × Amlder	0	33	56	51	24	15	6	185

Cymedr = 2.1, Canolrif = 2, Modd = 1, Amrediad = 6

Tud.93 Tablau Amlder Grŵp:

Oed (blyn)	21 — 30	31 — 40	41 — 50	51 — 60	CYFANSWM
Amlder	58	61	46	42	207
Gwerth Canol Cyfwng	25.5	35.5	45.5	55.5	—
Amlder × GCC	1479	2165.5	2093	2331	8068.5

Cymedr = 38.98, Grŵp Moddol = 31 - 40, Canolrif ≈ 31 - 40

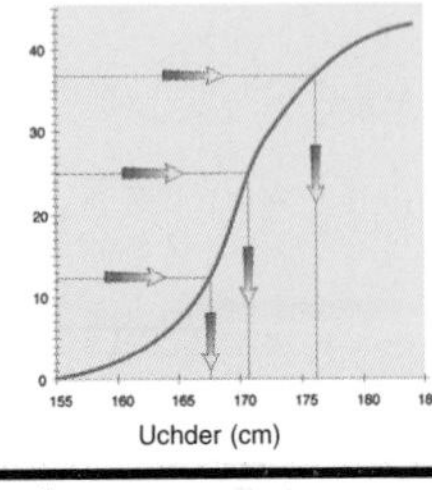

Tud.94/95 Amlder Cronnus:

Uchder (cm)	151 – 160	161 – 170	171 – 180	181 – 190
Amlder	5	18	21	6
Amlder Cronnus	5	23	44	50

Cymedr = 171.3cm
Chwartel Isaf = 165.5cm
Chwartel Uchaf = 176cm
Amrediad rhyngchwartel: 10.5cm

Mynegai

Mynegai